L'AUTRE MOITIÉ DU SONGE
M'APPARTIENT

ALICIA GALLIENNE

L'autre moitié du songe m'appartient

poèmes

Préface et choix de Sophie Nauleau

Postface de Guillaume Gallienne

GALLIMARD

« La Poésie est ce qu'il y a de plus réel, c'est ce qui n'est vrai que dans *un autre monde.* »

Charles BAUDELAIRE,
Œuvres posthumes.

PRÉFACE

« *Demain, la nuit sera longue* »

« Des kilomètres de secondes
À rechercher la mort exacte. »

Paul ÉLUARD

Toujours l'on cite Orphée, sa descente aux enfers, sa funeste impatience, son chant d'intense solitude. Rarement l'on s'enquiert des tourments d'Eurydice. On dit le deuil de l'un, son éternel chagrin, la perte pour les siècles des siècles, mais guère le désespoir de celle qui, par sa faute, se meurt une seconde fois. Plus que la lyre ou le regard d'Orphée, j'ai souvent rêvé percevoir l'ombre ou la voix de celle qu'il a tant pleurée.

Il n'y avait rien de mythologique cependant lorsque les écrits d'Alicia Gallienne se sont retrouvés entre mes mains. Mais une émotion à vif tout aussi stupéfiante. *Il est des fois où je voudrais boire la douleur dans tes yeux*, confie-t-elle dans *Le Livre noir*, à l'été de ses dix-huit ans. Son nom plein d'ailes et de A m'aurait-il alertée sans ce cousinage célèbre ? Sans doute pas, et c'est précisément en cela que l'aimantation est belle.

Même si j'ignorais tout de l'éclat, du courage et de l'*aura terrible* de cette adolescente signant Sicia au bas de ses poèmes. Sans un tel intercesseur, qui d'ailleurs se voua au théâtre par sursaut et fascination pour elle, peut-être n'aurais-je pas pris le temps ni la mesure de ce destin foudroyé qui gardait la poésie au cœur.

Qu'une jeune fille en fleur adore *L'écume des jours* — et les œuvres complètes de Boris Vian qui ne voulait pas mourir *Sans qu'on ait inventé / Les roses éternelles / La journée de deux heures / La mer à la montagne / La montagne à la mer / La fin de la douleur* —, cela n'a rien d'inédit. Mais que cette jeune fille-là, lumineuse et fragile, se consacre de toutes ses forces à l'écriture, de nuits blanches en échéances médicales — *si seulement j'avais le temps de vivre* —, cela n'a rien de commun. Car l'amour, la poésie et la mort s'entrelacent en elle, tel *le nénuphar blanc dans les poumons de Chloé*, jusqu'à asphyxier une à une les cellules de son sang.

Notre Eurydice porte le prénom de l'héroïne du *Pays des merveilles* de Lewis Carroll, mais à l'Andalouse : Alicia Maria Claudia. Sa courte vie est pleine d'échos, d'étoiles et de signes : née le mardi 20 janvier 1970, morte à 20 ans au petit matin d'un 24 décembre, dans un hôpital du 20ᵉ arrondissement parisien — «en son vivant, étudiante», comme le stipule l'atroce acte de décès notarié. Et ce choix de poèmes de paraître enfin en l'an 2020.

Trente ans qu'Alicia est passée de l'autre côté du miroir.

Et que ses proches se défient de Noël.

Trente ans que son corps repose au cimetière du Montparnasse, coiffé d'une mantille sévillane de dentelle blanche, escorté dans l'au-delà par un mignon hippopotame en peluche dit Gros Doux. Et par un grand-oncle d'Espagne, disparu l'année de sa naissance, comte de Castilleja de Guzmán, dont la dépouille fut rapatriée afin qu'Alicia ne demeurât pas seule sous terre.

Trente ans qu'elle a donc rejoint, *par une nuit bleue et froide de décembre*, le fantôme de Charles Baudelaire, dont le *frisson nouveau* n'a cessé d'inspirer son encre Waterman :

> *Cela ira*
> *Je n'ai pas peur du noir*
> *Et puis il n'y a pas de vautours*
> *Dans les étoiles*

Dès l'enfance, Alicia couvre ses cahiers de poèmes : siens ou recopiés. Ses herbiers alternent feuilles séchées et citations enluminées. L'hiver de ses quinze ans, elle compile et surligne aux crayons de couleur ses poètes préférés : Jacques Prévert y côtoie Arthur Rimbaud ou Jean Cocteau, mais aussi Oscar Venceslas de Lubicz-Milosz : *Quand on blesse un poète on perd l'éternité*. Dans ses grands formats au carton marbré Annonay, la jeune Alicia s'applique à reproduire l'élégante signature en X de Paul Éluard, tout en scotchant un authentique trèfle à quatre feuilles. Sur la couverture de l'un de ses dossiers, pour tout viatique, en lettres capitales et feutre noir rehaussé de rose : J'ÉCRIS JE VIS.

Son premier mince recueil s'intitule *Dominantes*, composé de mai 86 à octobre 87, rassemblant réflexions métaphysiques, journal intime et poésies. Immédiatement, *Les Nocturnes* prennent la suite, de novembre 87 à mars 88, livret tout aussi bref mais plus tragique encore. On y croise Esmeralda sur le parvis de Notre-Dame *au dallage étoilé*, « Le pont Mirabeau », la Seine, la peine et son *alcool brûlant comme la vie*, ou encore *Les montres molles* de Salvador Dalí. Il n'y a plus un solstice à perdre. Car dans chaque nuit qui *tombe*, Alicia entend plus que le verbe. Pour autant, *rien de lugubre ou de morbide* à la suivre dans ses vives ténèbres : *le noir est absolu comme pour développer des photographies*. Pareille à ces fleurs de lune ou belles-de-nuit qui ne s'offrent qu'à la vue des étoiles, Alicia Gallienne s'épanouit à force de grandes gaietés et d'insomnies.

Au 22 rue Berlioz, tout en haut sous les toits de Paris, dernière fenêtre à gauche, sous l'exacte reproduction au plafond du *Ciel étoilé* de Van Dongen, la lumière mansardée se consume — *et les vers qui s'écrivent sur les murs.*

Tout contre son antre, Romy Schneider a vécu avec ses deux enfants, et l'annonce à la radio de la mort de David, en juillet 81, à l'âge de quatorze ans, reste pour Alicia, qui jouait fillette avec son frère Ian et lui, un traumatisme lancinant. D'autant que cette éclipse survient, presque jour pour jour, quatre ans après celle d'Éric, le frère aîné dont elle s'attache à vénérer la mémoire. D'où la cohorte d'anges et d'âmes défuntes qui assaillent en silence sa chambre, le soir venu : *Le sourire est encore plus beau dans la nuit.* L'urgence est d'apprivoiser le lendemain, voire son absence. Tout en chérissant les souvenirs passés. *C'est s'approprier la nuit sur un terrain d'égalité et de respect mutuel. Je suis vouée à subir ses agonies de tous les jours ; elle aura à affronter la mienne : ainsi nous sommes quittes mais elle au moins risque de mourir plus souvent que moi, et donc de vivre plus aussi.*

Était-ce prescience ou lucidité pure ?

Dès avril 88, sur un carnet de cuir noir aux tranches dorées offert par son amie d'enfance Éléonore, Alicia entame *Le Livre noir*, qu'elle scinde en deux parties : la première écrite d'avril à septembre 88, dédiée à ses parents, Silvita et Pierre, auxquels elle porte un expansif amour, mais aussi *à ceux qui sauront voir à travers les lignes, à ceux qui devineront peut-être ce que je n'ai pas su leur dire, à ceux enfin et toujours que je porte en moi.* Une quarantaine de pages mêlant proses et poèmes, à la grâce des mots : *C'est tout ce que j'ai pour vivre intensément, c'est-à-dire plus vrai, plus fort que ce que le destin me réserve.* On y devine les hospitalisations soudaines et inexpliquées à la présence tutélaire de son oncle Antoine qui, à défaut de pouvoir lui cuisiner en Sologne ses spaghettis préférés, tient à monter la garde de nuit sur ce sommeil *d'enfant recroquevillé à la dérive*, devant la porte de sa chambre de l'hôpital américain.

Mais nulle plainte et très peu de hantise :

Dure et secrète est mon âme.

Tendre aussi, et pudiquement généreuse, se souciant davantage de ne pas causer de chagrin à son entourage que de se lamenter sur son triste sort. Une âme qui rongeait ses ongles, tout en se maquillant à la perfection. La moelle osseuse d'une très vieille dame dans un corps de nymphe aux yeux bleus profonds. Une amoureuse lisant Hegel, Kafka, les Surréalistes et le *Journal littéraire* de Paul Léautaud, tout en lissant ses longs cheveux noirs ondulés. Une élève brillante, parlant couramment la langue de Cervantès, obtenant son baccalauréat littéraire à distance avec mention et une année d'avance. Une fille sexy qui adorait le saumon fumé, les blinis, le tarama rose et les macarons au chocolat, tout en dissimulant à ses amis sous la table ses injections antivirales dans la cuisse. Une Alicia à la double, triple, quadruple vie, citant avec la même gourmandise Edmond Rostand, *C'est la nuit qu'il est beau de croire à la lumière!*, le Grec Héraclite, *Le temps est un enfant qui joue au trictrac : royauté d'un enfant!*, ou l'Aragon de *La Semaine sainte* et de *ce printemps des cimetières que l'on appelle l'avenir.* Une insolite jeunesse, partagée entre cette frénésie de vivre et les affres de la maladie rare. Entre la lecture de Cioran, *De l'inconvénient d'être né*, et les rallyes mondains. De *Jonathan Livingston le goéland* à *Belle du Seigneur*, en passant par *Si c'est un homme*, *Le gai savoir* ou encore le *Manuscrit trouvé à Saragosse*, tout en abusant des Marlboro qui lui piquent les yeux. Par jour de fol anniversaire, c'est une fête au Lido, au Balajo ou chez Castel, dont elle est reine. Par jour de solitude, ce sont les titres du poète de *Sueur de Sang* qui la comblent : *Ai «possédé» aujourd'hui pour ma collection deux éditions originales de Pierre Jean Jouve avec du papier qui crisse... j'aime bien ce papier qui murmure sous les doigts, le voyeurisme criard des livres. Il y a Paulina 1880... sublime à un degré indécent. Puis Lyrique, recueil de poèmes dédicacé par l'auteur.*

Jamais, que ce soit dans ses manuscrits ou dans sa correspondance décuplée, Alicia ne cite le nom du mal qui l'épouvante en secret, ni ne s'épanche sur sa souffrance. Elle ne parle pas non plus du combat journalier contre l'aplasie médullaire qui, révélée à la suite d'une appendicite aiguë opérée à Angoulême l'été de ses quinze ans, la met à la merci de la moindre coupure de coquillage sur une plage ou du premier virus venu au lycée, puis à la Sorbonne. À peine avoue-t-elle en douce sa *fatigue intarissable*. Et la raison du *Livre noir* : *la couleur du non-dit, c'est le noir : la seule couleur infinie [...], la seule que je porte en moi pour toujours car elle me ressemble.*

Une telle réserve qui donne à cette incise, datée du 27 août 88, à la façon d'un simple post-scriptum, un surcroît d'effraction (le substantif *effraction* lui est cher) :

> *J'oubliais que ce soir, j'avais le dessein d'écrire cette phrase pour moi seule et pour une peur qui refroidit mes rêves : Mon Dieu, faites que je ne perde jamais mes cheveux !...*

C'est l'au-delà de Baudelaire, et non Dieu, qui a le dernier mot de ce premier *Livre noir*, pour voir *la vie en beau* et tous *les merveilleux nuages*. L'ivresse d'une voix et du ciel associée au prénom en X d'un premier grand amour, fatal et *fou* comme il se doit depuis qu'André Breton a établi «que l'amour véritable n'est sujet à aucune altération appréciable dans la durée» : Xavier. C'est à lui qu'Alicia dédie son deuxième *Livre noir*, auquel elle œuvre des derniers jours de septembre 88 jusqu'au lundi 6 février 89. Soixante-dix-neuf pages, le plus épais et sans doute le plus inspiré de ses recueils, qu'elle s'acharne à taper, comme chacun de ses livres, sur sa petite machine à écrire électrique noire, cette Canon S-70 portative qui la suit partout, de Paris à Saint-Brice, et jusqu'à Sotogrande.

Le décompte des jours et des nuits d'écriture ne connaît pas de répit, jusqu'à l'épuisement — *parce que je veux être lue...* répond-elle à sa mère. Même alitée, les poèmes se succèdent. Plus épars peut-être, jusqu'à céder la place à un premier roman : *Sinon, ou plutôt surtout, je commence à voir se former l'ébauche de mon roman et rien que d'écrire me met en joie... et puis je découvre les écrivains russes : Tolstoï, Dostoïevski, c'est grandiose!* s'enflamme-t-elle le 27 juillet 89, dans une lettre à Éléonore. Une centaine de pages qu'Alicia retravaille et mène à bien. *Je n'aime pas le travail mal fait mais j'ai encore plus en horreur le travail inachevé.* Et de fait *La camisole de faiblesse* est achevée à la rentrée 90, dans l'attente d'un donneur compatible à la greffe de moelle osseuse censée lui redonner force. Certes il y est question d'un vieux grand-père *perdant la boule*, Georges, et de sa femme Suzanne, *possédée par le mal incurable*, tous deux s'approchant tout naturellement de la fin, mais la description de cette fascinante enfant de dix ans, qui traverse leur histoire, résonne comme un autoportrait :

> *L'enfance de Lucile était tendue de nuits noires où le fantôme rêvé de son grand-père faisait des siennes. [...]*
> *Lucile possédait un sens inné du merveilleux qui faisait d'elle un monstre d'intelligence et de pudeur. [...]*
> *Lucile dérangeait car elle portait en elle la vie et la mort mêlées, entrelacées dans un combat d'amour impudique.*

18

*Personne n'aurait pris le risque de s'attirer quelque mal-
heur en lui barrant la route de son enfance si vive, déjà
si douloureuse. [...] Et puis, évidemment, elle attirait
la curiosité, comme toute personne auréolée de la grâce,
celle qui est une fleur blanche sur la peau, une transparence dans la voix et les gestes, une certaine approche de la
souffrance. [...]*

*Lucile dormait toujours avec les paumes renversées vers
le plafond, elle semblait en attente de points lumineux,
d'étoiles artificielles qui tomberaient dans ses mains. Il y a
des enfants nés pour se souvenir de l'invisible. [...]*

L'invisible pour Alicia est tout entier attaché à la présence
de ce grand frère fantastique, drôle et joyeux joueur de mots,
Ericus Magnus, emporté par une leucémie l'année de ses
vingt ans :

À Éric, l'équilibriste sublime de ma solitude.
Au nom de mon père.

Éric (17 septembre 1957 - 29 juillet 1977).

Quatre lettres qui tout du long se rappellent à elle post
mortem : dans un exemplaire des *Fleurs du mal* autant que sur
le rebord de la fenêtre de sa chambre parisienne, où Éric avant
elle a gravé au canif son prénom. Alicia a sept ans et demi
lorsque meurt ce frère si malade que son père espérait pour
lui qu'il se tuât à moto à Cognac, éprouvant la vitesse plutôt
que l'agonie. Dès l'âge que l'on dit de raison sans savoir, Alicia
a *compris qu'il y avait en chacun de nous une part de solitude,*

19

une contrée mystérieuse où soufflait un vent froid. C'est pourquoi elle vénère ce père, ancien champion de bobsleigh, adorant ses yeux qui savaient *soulager sans dire, / Et dire sans se refermer.* C'est pourquoi elle fait tout pour *le rendre heureux et fier.* Ce père protestant qui interdisait que l'on révélât à quiconque la gravité de la maladie de sa fille unique, afin que sa *Perlita* ne perçoive jamais dans les regards l'annonce de sa fin tragique. Ce père qui s'est entendu dire par Jean Bernard, l'éminent spécialiste d'hématologie et de cancérologie — le même professeur qui promettait *très affectueusement* à Alicia, dans une lettre du 12 décembre 90, de lui parler plus longuement de son roman, qu'il venait tout juste de lire, dès qu'elle aurait *quitté l'isolement* —, qu'il n'y avait aucune explication génétique à la perte de deux de ses enfants au même âge : que c'était aussi inconcevable que s'ils avaient été tous deux renversés au même croisement, par la même voiture, le même jour de la semaine, à treize années d'écart.

Tout aussi impensable, la façon dont Silvita apprend que leur fille est condamnée : de la bouche même de la sage-femme qui l'avait mise au monde dix-huit ans plus tôt. Un terrible *non-dit,* tandis qu'elles conversent rue Berlioz en attendant que le médecin de famille à l'étage ait fini sa consultation auprès d'Alicia, victime d'une énième infection. À la question : *Qu'est-ce que vous me conseillez de faire ?* Une réponse qui, en d'autres circonstances, aurait semblé irresponsable ou désinvolte : *Tout ! Il faut tout faire, et dire oui désormais à tout ce qui peut la rendre heureuse…*

Après la disparition d'Alicia, Pierre Gallienne n'a plus offert à son épouse que des bijoux étoilés. Ils ont quitté Paris pour s'en remettre à la Méditerranée sur un deux-mâts breton baptisé *Le Grosdoux*. De son côté leur fils cadet de dix-neuf ans, Ian, s'est fait tatouer une étoile à cinq branches, suivie d'un point, ce funeste point final, et s'en est allé solitaire en Espagne tenter de vivre sa vie. Aujourd'hui, marié et père de quatre enfants, tandis que le sien a rejoint sa sœur sous la pierre blanche du Montparnasse en avril 2013 non loin de Jacques Demy, c'est un homme d'affaires de haut vol. Je n'ai pas cherché à comprendre en quoi consistait la course de ses jours à la tête de l'une des plus florissantes holdings financières d'Europe : il m'a suffi de l'écouter me raconter son manque d'Alicia, ses photos d'elle dans chacun de ses multiples déménagements et, derrière l'élégance des initiales brodées à hauteur du quatrième bouton de sa fine chemise blanche, sa solitude de petit frère et son regret de ne pas avoir assez de souvenirs en partage. *Elle nageait très bien*, a-t-il ajouté avant de prendre le temps de me raccompagner jusqu'à l'ascenseur, *elle avait même gagné une médaille!* D'autres réminiscences tues sont passées dans ses yeux, et peut-être aurais-je dû insister. Je lui ai tendu la main afin de respecter le pacte d'efficience et de muette pudeur que nous n'avions pas signé. J'aurais aimé qu'il me parle encore un peu de ce père au même regard *couleur de pluie* qu'Éric et Alicia, roc noyé de chagrin. Ce *chevalier servant* qui veilla tant sur elle. Ce *Pappily*, à la panoplie de pulls col V éclatants, qui la remerciait d'être en vie à chacun de ses anniversaires. Ce père providentiel, ayant appris à pleurer paupières closes, et qui dort pour l'éternité à ses côtés avec pour tout sésame la dernière lettre qu'elle lui a adressée. Ce père meurtri, à la droiture de capitaine, qui les emmenait tous deux, de retour des U.S.A., déjeuner au Mexico.

À Saint-Brice, bourg paisible à l'écart de Cognac, où ils ont grandi le temps des vacances entre château, écuries, cours d'eau et Maison Rose, une vieille voisine parle encore de Ian et Alicia, à cheval sur «les escargots» en pierre de chaque côté du portail, en haut des piliers, crayon et papier en main, tenant le décompte des voitures. Tout à côté vivait madame André, riveraine que l'on croyait revêche, rabougrie et recluse derrière ses volets rouges, mais qui fut pour Alicia une immense âme sœur. Aux longues heures de liberté passées ensemble, à leurs riches entretiens téléphoniques hebdomadaires s'adjoignent tant de lettres bouleversantes d'engouements littéraires et d'affection complice : *Je suis allée à la bibliothèque, qui s'est beaucoup enrichie, grâce à toi, ma Chérie — lorsque tu reviendras, tu pourras choisir pas mal de livres qui te reviennent...* lui écrit-elle le 21 octobre 90. À cette veuve de médecin qui signait du nom de son mari, non sans l'avoir d'abord embrassée *aussi fort que le vent*, et lui avoir conté de sa fine écriture pleine de souffle les noix amassées, les provisions de grappes de raisin préservées des vendanges mécaniques ou les cèpes de pins de la Toussaint, Alicia confie le lourd programme détaillé de ses premières journées à l'hôpital Saint-Louis, où elle n'emportera qu'une seule photographie, celle de son frère Éric. Depuis peu, la ravissante bâtisse que madame André n'a pu léguer à sa *petite sorcière* est à l'abandon, envahie de rouille, de silence et d'herbes folles. Devant le toit de verre de sa serre brisée et ses rosiers ensauvagés, j'ai tenté d'imaginer cette inestimable inconnue, dont l'époux défunt, comme par hasard, s'appelait Georges — *Lorsque tu liras cette lettre, ma Chérie, tu seras bien près de ce mercredi qui marquera pour toi le début de tes examens préparatoires. Je voudrais tant qu'un clair soleil brille sur Paris, pour accompagner tes pas ! La grande ombre de mon Georges sera là, pour t'accueillir, et pour veiller sur toi, tu le sais.* Dimanche 4 novembre 90. Pour être encore plus près d'elle, cette madame André, dont nul ne se rappelle le nom de baptême, avait décidé de lui écrire chaque septième jour : *notre séparation sera moins dure, et je te raconterai les menus faits de ma vie campagnarde et solitaire, pour te faire sourire quelques fois mais surtout pour que les liens qui nous unissent soient toujours aussi forts et vivants. Et cela, jusqu'à ce que j'aie le grand bonheur de te revoir dans ce petit coin que tu aimes tant !*

Je n'ai pas retrouvé de dernière lettre datée du 23 décembre, ni ne sais quand ni qui a annoncé à madame André que sa si *précieuse Alicia* n'avait pas survécu. Mais j'ai retrouvé son prénom de sainte, premier témoin de la Passion du Christ : Marie Madeleine. Peut-être les lettres d'Alicia dorment-elles encore dans un tiroir sanctuaire de sa maison désertée. Je n'ai pas osé voler un fruit aux branches du gigantesque pommier de son jardin qui croulait pourtant sous le poids de l'absence. C'est en voulant noter l'adresse, 62 rue Jacques Delamain, que m'est revenu le souvenir de ce célèbre ornithologue français qui avait fait de sa propriété au bord de la Charente un repaire pour *Les jours et les nuits des oiseaux*, où Olivier Messiaen aimait à venir écouter leurs chants. J'ai entendu les *pages volantes* des poèmes d'Alicia *comme de beaux oiseaux résistants et évadés...* Mais je n'ai pas pour autant cherché dans le journal de guerre de Delamain ce qu'il avait observé de l'insolence de la vie volatile depuis les tranchées en plein fracas du monde. Et ce n'est que le lendemain que le lien s'est fait dans mon esprit avec la plus ancienne librairie de Paris, à l'ombre de la Comédie-Française.

Quant à la Maison Rose, dont le nom ornait le papier à entête d'Alicia, elle est devenue blanche mais par-delà le crépi, les propriétaires successifs ont semble-t-il tenu à conserver tant de choses, à commencer par le tissu tendu des deux petites chambres, rose pour Alicia, bleu pour Ian, et jusqu'au plastique de leurs porte-brosses à dents d'enfance, à même le papier peint de la salle de bain... À croire qu'un caractère sacré entoure le monde plus ou moins merveilleux d'Alicia, même aux yeux de ceux qui ne l'ont pas connue. À tel point que j'ai failli m'enquérir de son nom sur le monument aux morts, *à la mémoire glorieuse des enfants de Saint-Brice*, près de la mairie et de la petite église.

Irrémédiablement cernée par la mort, mais à la manière des anciens murs d'enceinte et de l'eau claire qui court le long des douves en pente douce entourant le parc de l'imposant château de Kilian Hennessy, où Catherine de Médicis et Henri de Navarre passèrent, Alicia Gallienne n'a pas le malheur sombre. Elle y a pourtant beaucoup souffert. Comme en témoigne encore l'émotion de Véronique, au service de la famille depuis quarante années, lorsqu'elle m'ouvre une à une les portes de la bibliothèque puis de la chambre rose, et prononce le prénom de celle que tout le monde adorait. La Charente coule à l'horizon sereine, les lis d'eau ne vont pas tarder à fleurir, tout est si apaisé depuis les hautes fenêtres du château, entre le ciel ensoleillé, les arbres séculaires et les ponts nostalgiques suspendus aux reflets — mais *c'est toujours très dur de penser à Alicia*, me murmure la dépositaire des lieux. Le cerf de bronze esseulé dans sa vaste pièce d'eau à sec semble lui donner raison. Et moi de mettre un jardin en sommeil sur ses mots du siècle dernier : *J'entends l'appel du monde qui doucement vient à moi, scarabée vert et branche de lilas.* Tout en pensant à Catherine Deneuve qui y tourna *Benjamin ou les Mémoires d'un puceau* de Michel Deville, jeune orpheline belle et gaie qui venait pour de vrai de perdre sa sœur aînée Françoise Dorléac, âgée de vingt-cinq ans.

*

Aux premières évocations des malheurs d'Alicia, j'ai pensé que la célèbre stance de François de Malherbe aurait fait une parfaite épitaphe :

> *Mais elle était au monde, où les plus belles choses*
> *Ont le pire destin ;*
> *Et rose elle a vécu ce que vivent les roses,*
> *L'espace d'un matin.*

Très vite, au fil des rencontres, des confidences et des voix chavirées de larmes, je me suis ravisée, mesurant que les deux derniers vers n'étaient pas suffisamment incarnés, trop mièvres ou éphémères, pour celle qui avait mené mille batailles le temps d'une seule paire de décennies, soit 7642 matins... Et qu'en dépit de cette *vie jolie boucle de rêve / Qui fait mal aux fractions des artères*, Alicia n'avait nul besoin de *Consolation*. Pour preuve le nom de l'un de ses derniers parfums — alors même qu'elle va sabrer sa chevelure, inviter en clandestine urgence ses proches à déjeuner, goûter ou dîner, faire graver en lettres anglaises *Alicia* sur l'or blanc de sa montre aux heures romaines afin de l'offrir à son Éléonore, tout en se préparant à entrer dans la bulle stérile de l'hôpital Saint-Louis ?

C'est la vie! de Christian Lacroix.

Précisons que l'éphémère flacon, créé l'année de sa mort, était en forme de cœur vivant et le bouchon, que l'on prend toujours à tort pour une branche de corail rouge, fait d'artères coronaires.

Peut-être est-ce cette *insoutenable légèreté de l'être*, si peu dans l'air du temps face au trépas précoce, qui a tant bouleversé ses intimes. À commencer par ceux, ignorant l'ampleur de son immunodéficience, qui n'avaient pas pris au pied de la lettre ses poèmes adolescents :

Un demain quelconque, il fera peut-être beau pour mourir.

Ou ceci, à Éric, *l'enfant* qu'elle *voit en rêve*, son drôle d'ange frère gardien, prophétisant son propre calvaire :

Mes sourcils sont tombés, petit amour, le cœur les a soulevés comme des ondes de larmes qui ne viendront jamais.

Pas de fleurs sur ta tombe, petit amour, mais tout le poids du monde.

Ou encore :

Juste quelques cernes en plus mais votre entourage n'y verra que du feu.

Car en amont de sa *réclusion*, ainsi qu'elle la nommera depuis sa cage de verre aseptique, n'allez pas vous imaginer qu'Alicia se morfond. Non, à la veille du *Jour J*, tel qu'elle l'édulcore dans son ultime éphéméride de cuir rouge, *la plus tyrannique des Capricornes*, dixit son oncle Henri, est en robe courte à paillettes argent décolletée, dînant chez Maxim's. Plus radieuse que jamais. Sirène aux cheveux courts, jambes fuselées de noir et lèvres ourlées pour seul bijou. Fixant les yeux du violoniste venu jouer *Les feuilles mortes* à sa table, ce mardi 6 novembre au soir. Plus Surréaliste qu'une carte du Jeu de Marseille, où le rêve est une étoile noire. C'est ce qu'il y a de fascinant chez celle qui pensait avec Valéry qu'il fallait *entrer en soi armé jusqu'aux dents*. Oui Alicia allie l'étude des rimes d'Antonio Machado et le shopping chez Irié ou Shu Uemura ; les prises de sang, radios, ponctions de moelle et *Vingt-quatre heures de la vie d'une femme* ; un examen d'exploration fonctionnelle respiratoire et celui du Code de la route ; une échographie du cœur et *Le corps en morceaux* au musée d'Orsay avec sa chère Mathilde ; ou encore *To my Boy Blue* de Cyndi Lauper et les alexandrins du *Condamné à mort*, dédiés *à Maurice Pilorge, assassin de vingt ans* :

Le vent qui roule un cœur sur le pavé des cours,
Un ange qui sanglote accroché dans un arbre,
La colonne d'azur qu'entortille le marbre
Font ouvrir dans ma nuit des portes de secours.

Alicia barricade de poèmes sa *nuit obscure*.

Genet, Reverdy, Desnos, Tzara, Char, Michaux, Jabès… et encore et toujours Apollinaire : *La nuit descend / On y pressent / Un long un long destin de sang*. Elle mène expressément son existence. Et sur tous les fronts à la fois : des méandres de ses innombrables rendez-vous médicaux jusqu'à sa réinscription en maîtrise à la Sorbonne, le 14 septembre 90. Après avoir consacré son mémoire de licence de lettres modernes spécialisées au jeune *Poison* de Dior, qui était non seulement la fragrance portée par sa grand-mère, Silvia Rodriguez de Rivas y Dias de Erazo, mais surtout le plus baudelairien des fruits défendus — ce *Cher poison* si fort en tubéreuse, cette pomme améthyste si vénéneuse que certains restaurants new-yorkais l'interdisaient en toutes lettres à l'entrée. Alicia ne se prend ni pour Ève ni pour Blanche-Neige, quoique sa peau fût aussi belle et pâle, et ne se laisse nullement amadouer par la malédiction. N'ajournant rien, elle entend ne pas gâcher une miette de son temps, de ses rêves, de sa chance et de son énergie. *J'écris pour atteindre une sorte de point fixe qui me sert d'obstacle et d'idéal…*

Et son tendre cousin Kilian, qui a depuis emprunté à Marguerite Yourcenar l'alchimique emblème de *L'Œuvre au noir* pour créer sa propre collection de parfums, de me citer troublé tout en pensant ainsi à elle cette phrase d'*Alexis ou Le Traité du Vain Combat* : « On ne doit plus craindre les mots lorsqu'on a consenti aux choses. »

N'ignorant rien de l'enfer qui l'attend, chimiothérapie intensive, greffe dangereuse, isolement prolongé, notre *nouvelle Eurydice* accélère le tempo. Longtemps qu'elle entrevoit que le compte à rebours est enclenché — jusqu'à *Aimer la gravité des gestes que l'on ne refait pas*. Exigeante, à la fois pétillante, tranchante et grave, Alicia fait provision d'ardeurs et d'allitérations. Arrachant des magazines la pleine page du *Guide Poésie* de Claude Michel Cluny, pour ouvrir son panthéon palliatif à Supervielle, Cavafy et jusqu'au contemporain Ludovic Janvier :

> *Une dormeuse est logée dans mes veines*
> *je ne peux pas la fuir en me cachant*
> *ni l'apaiser bien sûr en me couchant*
> *car c'est surtout que je vois mes peines*

Alicia ne capitule pas face à la peur : « Plutôt la vie », comme elle aime à le lire imprimé noir sur blanc dans *Clair de terre*. Et de fait, jamais jeune mortelle n'aura laissé empreinte plus inouïe.

Trente ans après son dernier souffle, le trio de ses amies les plus dissemblables et proches reste sur le qui-vive : Mathilde met en silencieux les appels urgentissimes d'un défilé haute couture afin de me montrer cette enveloppe timbrée mais jamais affranchie, au trèfle vert à quatre feuilles pour tout expéditeur, qui lui était destinée depuis le 29 décembre 89.

Afin de me décrire cet *ange* qui *survolait* le courant des jours, cette Alicia *terrifiante de profondeur* qui avait froid aux pieds, qu'elle avait minuscules, sur son lit d'hôpital. Et ce *fil invisible* qui les reliait, via le cordon d'un téléphone fixe (il fallait faire le 22 pour sortir, comme 22 rue Berlioz), devenu vibration sacrée. Sandrine, qui s'est vouée à *la vie après la vie*, rêve encore qu'Alicia n'est pas morte et qu'il ne tient qu'à elle de venir la délivrer de sa prison de verre, où elle refusa qu'on lui rendît visite. Éléonore me répond depuis Londres ou l'Écosse, je ne sais : *Alicia est tout pour moi*. Racontant la Librairie du Bois, 22 rue Duret, où elles passaient leurs après-midi, leurs voyages à Tanger et Rome, leurs périodes Sade, Prince, Eurythmics, Phil Collins, et leurs effusions épistolaires :

> *Drôle de journée trop remplie. Besoin d'écrire. Heures entières pleines d'impressions, d'intuitions non prophétiques, la peau des livres aussi. Ce vers est dans ma tête :*
> *« Valse mélancolique et langoureux vertige ! »*
> *Oui, un petit brin de vertige, fleur colossale ! Cette encre m'apparaît tout à coup : sans doute l'agressivité latente de la fatigue. L'intérieur des veines. Confusion → fusion.*

22 juin 90, Alicia n'a plus que six mois à vivre et ce qui la tourmente, en ce vendredi, c'est avant tout la dernière d'*Apostrophes* !

Preuve que l'on peut avoir ses entrées au Palace, au Polo Club ou chez Régine, et préférer réellement se damner pour deux phrases de Jean Tardieu : *Oh, quand pourrai-je comme l'oiseau, faire de mes paroles la substance de ma maison ou, comme*

l'araignée, tirer longuement de mes entrailles le chanvre et la corde ? Et quand pourrai-je, enfin, las d'avoir tant vécu, comme on dit que fait le scorpion d'Afrique, tourner contre moi-même une plume qu'empoisonne à jamais la souffrance de l'informulé ?
C'est Alicia qui souligne.

À force de décrypter entre les lignes, j'ai hésité à intituler le choix de ses poèmes *Morsures d'étoile*, qu'elle griffonna quelque part au dos d'une feuille, tout en regrettant qu'elle n'ait pas connu ce fulgurant distique de Paul Valet, titré «Mon étoile» :

> *Étoile filante de première grandeur*
> *Où pourrais-je tomber sans désastre ?*

Si j'ai préféré *L'autre moitié du songe m'appartient*, c'est qu'il y avait dans ce dernier vers d'un petit bloc de prose des *Dominantes*, au-delà de l'inconscient clin d'œil à Calderón, toute la lyrique dualité d'Alicia, du haut de ses dix-sept ans :

> *Souvent, je me surprends à philosopher sur la vie, à vouloir tout tout de suite et à imaginer la nécessité. Je monte toujours un grand escalier qui craque : chaque pas me fait mal car je me retiens pour abreuver le silence. Cet escalier est si haut qu'il m'est impossible d'en deviner ni le début, ni la fin. À vrai dire, je ne sais pas très bien si l'on peut jamais arriver ; pourtant, je veux parvenir à tout prix au sommet de l'escalier, je le veux si fort que je ne sens même plus mon désir et, je suis prise de vitesse pour imiter le temps. Je grimpe, mais pour atteindre quoi ? Seule cette*

vérité subsiste en bas : je l'effleure des pieds mais ma tête
est ailleurs. Je cours à l'ultime protection, pour moi et les
miens. Je monte parce que le sens commun descend et qu'il
est encore temps sans doute de sauver ce qui reste.

L'autre moitié du songe m'appartient.

Ce précipité avait pour titre « La moitié d'un songe ». J'y vois plus que l'exorcisme de la *Superstition* qu'elle invoque en exergue de cette *Dominante numéro 13*, le mercredi 13 mai 87. Et j'aime qu'elle ait décidé de s'octroyer le secret à suivre, exact pendant météore de son parcours terrestre. Tout en prenant le temps de dire adieu sans le dire dans chacune de ses lettres. À sa mère, qui ira jusqu'à retrouver la donneuse de moelle osseuse anglaise pour la remercier et lui avouer qu'elle ne l'avait pas sauvée, Alicia adresse toute sa gratitude : *Je te serre dans mes bras. Je fais des réserves de câlins pour me souvenir de ta douceur lorsque tu ne pourras plus me toucher... ma mère-veilleuse... ma lumière toujours allumée dans le noir.* C'est pourquoi il suffit qu'une jument malheureuse, promise à l'abattoir, croise sa route en Sologne pour que Silvita s'en soucie. Et que cette jument s'appelle, comme des milliers d'autres, *Étoile* pour qu'elle décide sur-le-champ de la prendre à sa charge.

À sa tante Barbara, toujours en sanglots, et *heureuse de l'être*, Alicia écrivait : *tu auras toujours la clé d'où savoir me trouver.* Lorsque je lui demande une photographie de la fenêtre de son ancienne chambre du fin fond de l'Espagne, au travers des feuilles de ficus entremêlées de jasmin et d'un galant de nuit, m'apparaît un vieil olivier au tronc torturé de soleil :

Il est des jours où j'ai réellement mal au-dedans et comme je ne sais pas pleurer, je sais qu'il pleure pour moi. D'autres jours, je sais qu'il cherche ma joie et que ses yeux avides et protecteurs boivent ce fiel de bonheur et d'espoir comme une pluie de soleil. La même qui me baignait d'extase sur la pelouse de Sotogrande.

Car avant même d'aimer, il y a l'amour d'Éric. Et la mort en miroir.

C'est au paradis perdu de Sotogrande, l'été 88, que Xavier rencontre le vivant fantôme d'Alicia. Ami de son frère Ian, il est logé dans la chambre de cette sœur aînée restée à Paris. Étrangement, le prénom de Ian se cache au beau milieu du nom de Xavier Giannoli. Dans l'armoire, un sac de sport rempli de seringues, et une pile de cahiers noircis de poèmes. Xavier ne sait rien de celle qu'il imagine droguée. Jusqu'à cette première apparition, au retour, à l'aéroport d'Orly, dont il se rappelle encore la *petite veste bleu marine avec liseré blanc* et le *pantalon gris*. Plus qu'un coup de foudre, ou qu'une affaire de *Champs magnétiques* qui se paieraient de mots, quelque chose de l'ordre du *Jamais d'autre que toi*, ou du si beau *Je suis venu vers toi comme va le fleuve à la mer / J'ai sacrifié d'un coup mon cours et mes montagnes…*

Presque deux ans d'une passion dévorante. D'une intensité à la mesure de ces fièvres aiguës, le corps tremblant de frissons et en sueur, se révoltant après chaque injection d'Interféron. *Ce n'était pas hier, c'est cette nuit*, me reprend le cinéaste alors que je demande pardon de vouloir réveiller de si lointains

33

souvenirs — *l'étrange beauté de ce corps de jeune fille aux clavicules bleues*, à force de ponctions de moelle osseuse. Mais une passion trop dévorante pour celle qui doit lutter de tout son être, et n'a plus que quelques mois à vivre. Car si Xavier sait combien la poésie est tout pour Alicia, *espace inviolable*, *principe de vérité*, dialogue avec l'au-delà et l'intime autant que *sublimation*, nul n'a dit à l'adolescent fou d'amour qu'elle risquait d'en mourir. Surtout pas celle qui tenait à préserver le feu, et n'aurait toléré aucun apitoiement.

Lorsqu'elle le quitte en janvier 90, lui laissant Rimbaud, Éluard et le gant ciel de *Nadja* pour toute explication, le jeune homme n'a pas dix-huit ans. Son désespoir, *Sans toi la vie est un* SUPERBE ENFER, s'incarnera à l'écran. Après avoir convoqué Aragon pour tenter de la reconquérir en vain, *J'aimerais avoir du talent pour te dire que « chaque goutte d'eau de ma vie a pris le sel de ton immensité »*, après avoir confié à son frère un cadeau de Noël pour elle, après avoir reconnu *Le mouvement de la mort au front du Requiem* — de leur première nuit d'amour — tandis que le cercueil blanc d'Alicia entrait dans l'église de Saint-Philippe-du-Roule, le 27 décembre 90 — *À Mozart je dédie par avance le dernier instant de ma vie*, avait-elle prévenu...

Après tant d'épreuves, d'afflictions et d'orage, Xavier Giannoli passe à la réalisation. Il ne tournera pas le scénario de *Bleu crépuscule* qu'il avait envoyé dédié à Alicia. Son premier court métrage s'intitule *Le condamné*, ou comment un garçon de douze ans apprend la maladie de son père, interprété par Philippe Léotard. En 98, *L'interview*, qui lui vaut la Palme d'Or à Cannes, à l'unanimité, puis le César, donne à voir un Mathieu Amalric en noir et blanc désemparé d'entendre Ava Gardner répondre à ses questions via l'interphone de son domicile londonien, refusant de le laisser entrer. Devant une photo de *La Comtesse aux pieds nus*, de Mankiewicz, avec Humphrey Bogart : *c'est un des derniers plans où il la voit vivante...* La voix sans visage de *la plus belle femme du monde*, morte un 25 janvier 90, qui laisse celui qui l'adule, celui qui a traversé la Manche en bateau et qui s'est préparé mieux que pour un rendez-vous amoureux, sur le trottoir. En 2003 dans *Les corps impatients*, son premier long métrage, qui voit mourir la jeune femme aimée d'un cancer du sang, Xavier Giannoli choisit Laura Smet pour son grain de peau, aussi pur que celui d'Alicia. En 2015, les brassées de fleurs blanches de *Marguerite* sortent tout droit de la messe d'enterrement de Saint-Philippe-du-Roule. En 2018, dans *L'Apparition*, Anna, la mystérieuse adolescente de dix-huit ans, au visage clair et serein, prétend être née un 20 janvier...

*

Le petit in-folio de messe, à la manière des vieilles images pieuses, n'a pas quitté le portefeuille de Guillaume Gallienne. Le ciel étoilé de Van Dongen en couverture a craquelé et pâli, mais guère le portrait d'Alicia ni *les contours tranchants du doute* et *les éclaircissements de l'amour* extraits de son *Livre noir*. À l'entrouvrir si longtemps après, je ne sais s'il me parle d'elle ou de ceux qui ont eu à affronter sa disparition. Je m'en remets à l'émotion du vivant de ses manuscrits, comme l'écrivait Maupassant du vif mouvement de l'air :

Le ciel est noir sans distinction et en observant par la fenêtre — je suis au 3ᵉ étage — on plonge sur la place du village qui ressemble à s'y méprendre à un décor de théâtre. Pour du Bernanos, ce serait parfait mais Bernanos a-t-il jamais écrit des pièces de théâtre ? J'admets ma très grande inculture. Il aurait cependant aimé cette clarté jaillissante et blanche [de la lune] sur l'architecture romane de la petite Église : une lumière sèche comme une veilleuse qui monterait la garde aux paupières pieuses du silence. J'aimerais tant qu'une prière me monte aux lèvres comme ça, pour le plaisir. Je ne sais pas prier.

La même photographie noir et blanc d'Alicia, tout sourire, boucles d'oreilles créoles et bras très haut les cœurs, apparaît dès les premières images d'un film que des millions de spectateurs ont vu. Glissée au bord d'un miroir de loge, le temps d'un plan de coupe capital, entre interrupteur et pots à maquillage. D'un côté la danseuse étoile Sylvie Guillem en plein vol, avant sa tournée d'adieu, de l'autre Alicia Gallienne, reconnaissable à son nom sur cette carte de correspondance au contour bleu électrique et à ces quelques mots d'anniversaire, datés du 8 février 90 :

Don't forget : CARPE DIEM*!*

Devant la glace, le visage du comédien qui va entrer seul en scène, la peur au ventre. Ainsi s'ouvre *Les garçons et Guillaume, à table!*

36

Un autre film en pendant me manque : celui tourné par Alirio, qui l'a conduite en voiture les derniers mois, tout transport en commun lui étant interdit pour raison de santé. Voyant Noël arriver et la jeune femme qu'il aimait tant coupée des êtres chers qui ne pouvaient lui rendre visite à l'hôpital, il est allé à leur rencontre pour recueillir leurs messages avec sa caméra d'alors. Il paraît que le jeune Guillaume, tout juste majeur quoique assis en tailleur, déclara là, les yeux dans les yeux, qu'il deviendrait acteur pour elle.

Le dernier amour d'Alicia porte le prénom du poète d'*Un bel morir* et de *La neige de l'amiral* : Alvaro. C'est lui qui l'a ainsi photographiée et magnifiée. Mais je cite Mutis à dessein :

Puisse la mort t'accueillir
avec tous tes rêves intacts.
Au retour d'une adolescence furieuse,
au départ des vacances que tu n'as jamais eues,
la mort te lancera son premier avertissement.
Elle t'ouvrira les yeux sur ses eaux immenses,
elle t'apprendra la brise éternelle de l'outre-monde.
La mort se confondra avec tes rêves
et y retrouvera les signes
qu'elle y a laissés de longue date
comme un chasseur qui reconnaît en rentrant
ses empreintes sur la brèche.

Tous *Les travaux perdus* d'Álvaro Mutis pourraient faire écho au *tumulte de la mort* d'Alicia. Mais celui auquel elle voulait offrir *Le désert des Tartares* de Dino Buzzati ou *Le palais des rêves* d'Ismaïl Kadaré, avant d'entrer chambre 3512, tout près du canal Saint-Martin et de l'Hôtel du Nord des amants désunis, se nomme Alvaro Canovas. Photographe, de deux ans plus vieux qu'elle, et comme elle d'origine espagnole, il sait le noir *absolu*, les négatifs et l'eau révélatrice. Pour m'éclairer sur leur couple, Mathilde a eu cette merveilleuse formule : *il y a des passions qui font baisser votre immunité et des amours qui la font grandir…* Or elle avait grand besoin *de bonheur et de sérénité* pour renforcer le déclin de ses défenses immunitaires. Ses parents l'autorisent à vivre avec Alvaro : *Alicia m'a offert ses six derniers mois et je ne le savais pas.* Lui non plus n'avait donc pas conscience qu'elle tutoyait la mort. Lorsqu'il me confie cela, à la terrasse d'un café place de la Bastille, détournant son regard vert et allumant une autre cigarette, je mesure qu'il n'en a parlé à personne durant tout ce temps. Des pages de « La vie parisienne » de *Paris-Match*, il est passé aux conflits armés, d'un excès à l'autre, cherchant à se mettre en danger par tous les moyens, jusqu'à recevoir une balle dans la cuisse en Libye. Ce taiseux reporter de guerre nous a laissé de somptueux clichés d'Alicia, prouvant que la fille qui s'en est allée à la poursuite de ses rêves via le service d'hématologie-greffe de l'hôpital Saint-Louis était plus belle et rayonnante que jamais. Libre de corps et d'esprit, ayant vécu en accéléré un bout d'enfance, un bout de ténèbres, un bout de brasier, un bout de néant, un bout de lune de miel, un bout de vie à deux.

Le dimanche 11 novembre 90, *il est 9 h* lorsqu'elle lui écrit sur papier bleu, avant de refermer doucement la porte sur ces deux jours et deux nuits passés ensemble, qu'elle lui laisse son *haut de pyjama en soie* et sa paire de *bas «fumée»*. Elle a barré son *AU REVOIR* d'une croix, préférant un interrogatif *À tout de suite ?* avant de signer *Alicia*. Sur la table de nuit, un autre post-scriptum au bas d'une copie double à grands carreaux non perforée : *Je plie ce papier en mille morceaux car c'est un peu l'état de mon cœur en ce moment.* Son écriture noire est celle des mauvais jours, celle qui s'inverse et penche à gauche, comme un signe d'allégeance au passé.

Dans la bibliothèque d'Alicia, entre *Le déclin du courage* d'Alexandre Soljenitsyne, Dante et *Sexus* d'Henry Miller, un exemplaire de *La Raison* de Pascal Quignard. Elle y avait inscrit ceci : *Livre offert par Sophie Troyan, 21 octobre 90.* Je doute qu'elle ait eu le temps d'apprécier cet essai consacré à Latron qui venait de paraître au Promeneur, et que la mère d'Alvaro avait tenu à lui offrir, mais cela dit beaucoup de qui elle était.

Quant à Alvaro, j'ai tout de suite senti qu'il ne pourrait pas m'en dire beaucoup plus. Et je ne m'attendais pas à ce geste incommensurable : Alvaro m'a remis un vieux carnet à la couverture rose marbrée de plumes de paon, selon une technique manuelle du XVIIe siècle toujours en cours en Italie. Il l'a fait à la hâte, l'air de rien, avant de disparaître à l'angle de la rue Jules César, sans s'appesantir sur ces traces tout autour, presque des crocs, dans lesquelles j'ai reconnu la marque des trois kilos de fil de fer entortillé qui l'enserrait depuis bientôt trois décennies. Alicia le lui avait lu à l'hôpital, et lui avait demandé de ne plus jamais l'ouvrir. Il venait de désincarcérer ces pages, les dernières écrites par Alicia.

Ce carnet rose, *Il Papiro*, est sous mes yeux. Ce carnet rose qui a dû passer à la très stricte désinfection hospitalière, tout comme chaque objet qu'Alicia a tenu à avoir à ses côtés. *Mon état est bien comateux. Seul mon amour pour toi est fort, confiant... aussi vrai que le malheureux Gros Doux est accroché, presque pendu à mon lit de cristal!* Ce carnet rose que j'ai toujours scrupule à entrouvrir, mais qui m'a été si précieux dans ma quête d'Alicia. *Alvaro, j'ai toujours su ce qui m'attendait en venant ici.* Ce carnet rose que j'ai chaque fois le sentiment de devoir lire d'un seul tenant en retenant mon souffle, mais qui n'a rien de testamentaire. *Pour qu'un jour tu sois heureux de m'avoir rencontrée.* Ce carnet rose si plein de souvenirs de vie, de joie, de vodka, de secrets et d'amour. *Aujourd'hui, nous sommes le 10 Décembre. La neige tombe. Comme tu me l'as dit souvent, la Sologne doit être sublime sous la neige.* Ce carnet rose hanté de feutre noir, plein de *Quand* et de points de suspension, qui s'achève en mauvaise page, à la 24ᵉ, j'ai recompté pour être sûre, mais sur une si joyeuse exclamation :

 ... Pour tous les moments où nous avons fait le bonheur à deux!...

J'ai laissé deux mois à Alvaro, jour pour jour, avant de me risquer à lui demander par texto ce que contenait la valise dans laquelle il m'avait dit avoir gardé des affaires d'Alicia. Il m'a répondu ceci, dès le lendemain :

Dans ma petite valise noire, il y a :
— le cahier rose
— une mèche de cheveux d'Alicia
— une paire de Dim Up
— un rouleau de bonbons américain LIFE SAVERS
   qu'elle adorait
— un petit flacon du parfum de chez Caron Tabac Blond
— un élastique à cheveux noir
— des lettres, des recueils de poèmes...
— une part de ma vie

*

J'ai longuement réfléchi avant de dire oui à cette histoire qui ne m'appartenait pas. Trop imprégnée de Rilke, prétendant à la toute fin de sa première « Élégie de Duino » :

Ils n'ont, en définitive, rien à faire de nous,
ceux que la mort a précocement ravis

De quel droit allais-je prétendre éclaircir un destin de comète ?

De quel droit me mêler des poèmes d'une âme si singulière qu'elle demanda elle-même, en ultime secret, à sa tante Cordelia, tertiaire dominicaine, de lui apporter la communion ?

J'ai longtemps douté, jusqu'à ce que je tombe sur cet argument publicitaire qu'Alicia avait gardé dans son dernier agenda :

Mai 1990. Lewis Carroll entre à La Pléiade.
Ici, Alice est vraiment au pays des merveilles.

Ailleurs il y avait un marque-page confectionné par ses soins, à en-tête rouge de la maison Gallimard, sur lequel elle avait écrit au feutre noir son nom, dans un prompt mouvement ascendant, soutenu par son étoile.

Alors je me suis dit que décidément oui, au Printemps 2020, il était plus que temps qu'Alicia Gallienne soit exaucée.

Sophie Nauleau, 29 juillet 2019.

*L'autre moitié du songe
m'appartient*

Qu'importe ce que je laisserai derrière moi pourvu que la matière se souvienne de moi, pourvu que les mots qui m'habitent soient écrits quelque part et qu'ils me survivent.

Pâques 88, Sotogrande.

LES DOMINANTES

Dominante rouge

Le 30 mai 1986

Un glaçon brûlant dans ce verre troublant. Quelque chose d'oublié, comme un couteau sous la gorge dont la lame fragile se mêle à la perle maladive. Éclat. Puis désespoir. Souvenir nostalgique de la lune dans un lit de sang. Larme grenat sur tes lèvres inachevées. Bonheur passé qui n'en finit pas de s'en aller. Pourquoi. Tu m'as dit je veux savoir. C'est bizarre, tu es parti. Le glaçon brûlant a cramé la peau bronzée de celui qui a cassé le verre. Il paraît que le Petit Prince s'est noyé : je ne le crois pas. La fragilité ne meurt pas, elle subsiste. Miroir, plein de morceaux de rêves psychédéliques : où est passée cette passion idyllique ? Le chien observe, il s'est couché, il sait, il comprend. Toi non plus. Départ : destination paumée, contrée rasée. Tiens, une étoile qui agonise dans la clarté des nuits sans sommeil. Alcool répandu sur tes cheveux moites, je suis enfermée dans ta boîte. Il pleut dedans. Dynamite intoxiquée. Le bain plein de mousse déborde : le Petit Prince se noie dans la baignoire ; le chien aboie. Ta nudité m'effraie, j'aime tes mains de douceur épaisse. L'idylle s'est envolée ? L'idylle est mon oiseau des îles. Tant pis pour le Petit Prince, il est

condamné à survivre. Je ne veux pas. Vide de toi. Le sang
coule autour de moi : c'est mauvais signe. Il fait rouge tout à
coup. Le glaçon a fondu sur ton cœur à la dérive. Au revoir
mon amour. C'est fini pour toujours…

Dominante noire

Le 9 juin 1986

À Emmanuelle

Le voile noir de tes yeux a crucifié mon âme.
Un souffle embrumé lézarde la prière qui monte jusqu'au
　plafond.
La lampe vacille dans la pénombre intime du paysage à
　l'agonie.
Un fantôme passe, sans se retourner.
Rapide est la lueur d'espoir,
Soudaine est ta nuit.
À bientôt rêve endormi, source d'égarement !
L'horizon de ma vie est plein de tes larmes, envolées fragiles.
Secondes irrésistibles où la douleur bat au rythme de l'horloge
　muette.
Dernières minutes.
Le silence est vivant,
La solitude est humaine.
Souviens-toi de la parole de Dieu sur tes lèvres coupables...
La lune s'affaisse sur le divan :
Froid polaire, froid d'hiver.
Tu es trop belle pour être vraie,

Tu es trop vraie pour exister,
Femme sublime, ombre de passage !
La lumière de mes jours est la ténèbre de tes nuits.
J'aime ta haine.
Frissons qui parcourent la symphonie pastorale du moment.
Intuition féerique, création de tes mouvements incontrôlés.
La nuit oublie : elle renaît chaque jour.
Toi, tu meurs chaque nuit.
Invitation au dernier voyage.
Tes cheveux d'ébène édifient la vertu purificatrice de ton
abandon.
Soupçons.
À quoi peut-on croire ?
Seulement à la vie, lorsque la mort vous sourit.
Quand la crise devient trop intense,
Tu craches amèrement, femme mystique : Dame aux Camélias.
Tes fleurs se perdent dans l'air pollué.
Où est la fenêtre ?
Dominante noire d'un hymne à la fatalité, d'un hymne à la
beauté.
Tu t'élances dans l'infini.
Le voile noir de tes yeux a crucifié mon âme.

Dominante d'un hiver d'été

Le 17 août 1986

Mort visage aux ondes éblouissantes,
Mort visage entouré de fleurs et de cendre,
Où es-tu clarté de ce sourire intense ?
Où es-tu naïveté de nos jeux d'enfance ?
Ô mon tendre amour,
Pourquoi ce triste détour
À la lumière émotionnelle du jour ?
Toi, pour qui j'aurais tout offert,
Toi, dont les yeux se plongeaient dans la mer,
Mort visage aux ondes éblouissantes,
Mort visage entouré de feuilles et de menthe.
La nuit a dérobé le velours de ces yeux,
Le noir a enlevé la blancheur du ciel neigeux.
J'aime dormir sur ton parfum mouillé
Comme un bouquet de jasmin sous une pluie d'été.
Ô mon tendre amour
Sur nos souvenirs, des flocons lourds
Ont effacé pour toujours
La lumière inconditionnelle des jours.

Procession de ta beauté inavouée
Autour de mes sens noyés.
Quand auras-tu fini de m'éventrer ?
Toi, pour qui je me plie à terre,
Toi, qui as quitté ton habit de lumière,
Dans l'évanouissement des fleurs amères.
Mort visage aux ondes éblouissantes,
Mort visage entouré de mes lèvres qui te chantent.

Dominante enfermée à clé
Le tiroir à secret

Le 17 janvier 1987

À V...

Ouvrez-moi la porte si vous le pouvez encore, car ma vie ne tient plus qu'à vous.

Si vous ne faites qu'entrouvrir, je respire sans mémoriser : la tolérance du jour m'échappe cruellement, l'air parfumé s'évapore autour de vos formes idéalisées et malgré moi, mon âme va vers vous.

Rendez-moi ce que vous avez pris de mon innocence.

Comment verrais-je à travers votre serrure ce monde qui m'enferme dehors et qui m'attache à votre sillage qui est au dedans. L'ambiance que je respire est celle qui s'évade de vous.

La musique qui me berce et me fascine est la déformation de votre voix parfaite qui s'échappe vers des paysages lointains où vous savez me cacher de vous. Quant à ce que je vois, c'est le spectacle mouvant de ce que je devine à travers vos yeux.

Rendez-moi mon âme et ma raison et en particulier, si vous la retrouvez, ma raison d'être.

Derrière la porte, j'imagine la vie enfermée dans vos tiroirs et je perçois les senteurs et les émanessences de vos cultures d'espoir.

Je n'ose vous demander si vous avez retrouvé la clé.

De mon côté, se réverbèrent les hallucinations candides : des images, des visions, des songes en dérision. La réalité se concrétise dans l'abstraction de mon existence stupide. Je vous avoue que le jour se dilue, s'échappe par la fenêtre, et que j'ai peur de votre noir qui me traumatise.

Rendez-moi la lumière et facilitez mes repères dans mon chemin vers vous.

Vous miroitez soudain dans le miroir, votre cher visage, ces fleurs et ces mots se noient dans l'eau.

Je ne sais pas de quel côté est le prisonnier ? Qui est de nous deux celui qui a capturé l'autre ?

Mais de grâce, ouvrez-moi la porte, si vous le pouvez encore, car ma vie ne tient plus qu'à vous.

À propos d'un fauteuil et d'un arbre

Le 2 avril 1987

Pour toi maman

Doucement, je reprendrai ma place dans le grand fauteuil qui s'endort. Le soir sera à la fenêtre, il dansera sur une chanson douce, comme chantait ma maman, il dansera jusqu'à l'étourdissement. L'arbre du jardin s'éteindra dans l'ombre et soupirera des prières pleines de feu. Mon âme s'abandonnera alors à ces psaumes silencieux qui embraseront ton nom. Oui, je serai là où mon bonheur habite, entre ces quatre murs où aboutit le regard de l'obscurité, où il n'y aura que moi et mon fauteuil, puis l'espace pour t'appartenir.

Dire que je t'aime et je t'attends, c'est encore beaucoup trop de pas assez.

Les étoiles en veilleuse et le ciel qui se fond me parleront de toi où que tu sois. Je t'attendrai, assise avec mon cœur qui débordera. Oui, je sais que le moment viendra où tu me retrouveras. L'arbre du jardin s'épaissira tout à coup et éclatera mon attente figée ainsi que la fenêtre de vitre brisée. Des milliards de miroirs s'envoleront dans l'air du soir ; dans chacun, épris de mouvement, ta voix reviendra bercer mon enfance. L'arbre mystique qui connaît tous les chemins te rendra à moi pour la mémoire d'un voyage. Bois ma nuit éternellement.

Dire que je t'aime et je t'attends, c'est encore beaucoup trop de pas assez.

Le messager

Le 27 avril 1987

Tu es venu un matin, à la pointe de l'aurore, avec tes mains si blanches et ton regard de papier. Tu es venu à l'heure idéale des malentendus, à ce point de non retour où s'achève l'amour et où débute la journée. Tu es venu comme cela : les mains dans les poches et les yeux pris de froid, dans la campagne contagieuse.

Tu as marché longtemps, sans savoir où tu allais, dans des champs délavés par la nuit, sur des routes glacées et sans bruits. Tu as marché comme aucun homme n'a jamais marché car ton pas n'avait pas de sens. Ton pas si large, si plein de victimes a traversé sans résonance les sentiers abattus et maintenant que j'y repense, ta marche m'apparaît comme la seule ayant jamais existé à la croisée des chemins. Comme un bel ange déchu, tu arpentais le monde et échouais sur les tombes des fleurs volées et les aspirations d'un cœur étranger. Toi seul, tu as compris ce qu'il y avait d'absurde et c'est pour cela que tu n'arrivais pas à vivre : tu as fait semblant d'exister et moi, j'ai fait semblant de te voir, à cette heure matinale aux caresses sournoises où s'évanouit l'indécence.

Tu es venu comme un pantin dérisoire te manipuler au gré de l'histoire ; tu es venu avec des mots d'enfant prodige pleurer la mémoire du monde. Tu es entré par effraction à la pointe de l'aurore, avec tes mains si blanches et ton regard de papier. Tu es entré sans frapper et tu as ouvert en grand les fenêtres : la raison manipulée s'est échappée et les rideaux parfumés se sont envolés comme des songes bénévoles.

Tu t'es allongé tout contre moi, dans ce lit creux et fade où l'on ne pouvait se reposer et tu as tellement baigné les draps de fleurs offertes que le jardin lui aussi a voulu y entrer. Et puis, tu m'as aimée dans ce lit du souvenir à l'heure où se meurent les sentiments, à l'heure charnelle où je voulus mourir. Après, tu t'es levé et tu as peint sur les murs et tu as inscrit ton nom au bas de mots qui ne voulaient rien dire et qui pourtant étaient si beaux. Tu as dit que les assassins étaient supprimés, que le mensonge était dilapidé ; tu as dit aussi que sur ton passage, fleurissait la Liberté. Tu en parlais avec des paroles de prophète que je ne connaissais pas, avec des images de poète que je connaissais trop. Tu as semé l'esprit et récolté le fruit.

Puis, tu es parti sur la route dans l'éclatante chaleur des vérités éveillées. Tu es parti avec ta merveilleuse conviction, les mains dans les poches et les yeux pris de froid, toi celui que j'attendais, toi le messager...

Dominantes numéro 12

Le 3 mai 1987

Le palimpseste

Ces paysages où je voudrais
Me perdre avec toi, mon amour
Ces paysages où je t'entraîne
Où tu m'aimes tout bas
Sont inconsolables.

Ces inconsolables amours dont je voudrais
Faire de brume les paysages,
Parlent bas sans savoir
Qu'on ne console pas
Le jour qui s'en va,

Qu'on est perdu, mon amour
Là où tu vas droit.

La lune de pacotilles

La lune de verre dans une veine,
Le vert de la lune dans une lutte,
Tu t'avères sobre et compliqué;
La lune de verre comme une plaque d'acier,
La lune plaquée qui vient de s'écraser,
Ton étau m'enserre.

La lune est marron glacé.

Dominantes numéro 13

Superstition

Le mercredi 13 mai 1987

Le rire de la pierre

Du noir sur tes jambes,
Et de la cendre sous tes pas.
Comme une avalanche sordide,
Tu te déploies, et vice versa.
Ton ventre écœuré en forme de rancune,
Ton sourire apeuré si plein d'amertume,
Refroidissent les eaux territoriales.
Tu ouvres le grand livre,
À la page du Mémorial,
Où sourit, machinal, le regard de la fée.
Tu songes à ces proies résignées
Qui enjambent le hasard,
Qui fait défaut comme par hasard…
Je sais ce que tu fais,
Toi qui continues de marcher et de refaire.
Tu brouilles les chemins,
Et échappes au malaise.

Qui du haut de la falaise ardente,
Te surveille dans l'attente.
Et tu observes le ciel,
Toi qui as oublié de lever la main pour frapper.
Tu abhorres le venin et le fiel
De l'homme armé jusqu'aux dents...
Mais, la morsure empoisonnée
N'en est que plus durable,
Ô parfum exécrable
Sur la vallée des vivants !

L'hysope et les fleurs bleues

Comme un sourire qui hier n'en était pas,
Sur le plafond incrusté aujourd'hui de faux pas,
Je me rappelle la lumière inconnue,
De nulle part,
Qui naquit des herbes folles
Et des cités sans remparts.
Lumière vivace au milieu de la chambre,
Cette ondée sans énergie humaine,
Je la vois qui se cambre,
Et puis qui disparaît
Comme un feu consumé...

Il est des mots que l'on ne peut oublier.

La moitié d'un songe

Souvent, je me surprends à philosopher sur la vie, à vouloir tout tout de suite et à imaginer la nécessité. Je monte toujours un grand escalier qui craque : chaque pas me fait mal car je me retiens pour abreuver le silence. Cet escalier est si haut qu'il m'est impossible d'en deviner ni le début, ni la fin. À vrai dire, je ne sais pas très bien si l'on peut jamais arriver ; pourtant, je veux parvenir à tout prix au sommet de l'escalier. Je le veux si fort que je ne sens même plus mon désir et, je suis prise de vitesse pour imiter le temps. Je grimpe, mais pour atteindre quoi ? Seule cette vérité subsiste en bas : je l'effleure des pieds mais ma tête est ailleurs. Je cours à l'ultime protection, pour moi et les miens. Je monte parce que le sens commun descend et qu'il est encore temps sans doute de sauver ce qui reste.

L'autre moitié du songe m'appartient.

L'ange dans un bocal

Des papillons bleus et des fleurs rouges
Sur un cahier noir à impressions baroques,
Des papillons échoués et des fleurs sanglantes
Sur un cahier martyr à l'abri du regard,
Des papillons et des fleurs
Qui échangent leurs couleurs,
Les papillons et les senteurs,
Les tourbillons et les fleurs…

Puis le cahier à la mer,
Les fleurs dans le sable,
Les papillons aux étoiles.

Puis le cahier à la terre,
Les papillons dans les herbes,
Les fleurs au vent.

Encore davantage

Le mardi 19 mai 1987

À mon père

Le jour de la belle étoile,
Et la nuit du grand soleil,
Dans le désert des paroles à peine prononcées,
Les yeux qui traversent le sommeil
Ont leur générosité.

Mais, les tiens sont encore plus purs
Que des jours ou des nuits.
Tes yeux ouverts,
Je les aime plus et davantage
Qu'il n'y paraîtra jamais...

Ils savent soulager sans dire,
Et dire sans se refermer.

Dans le secret des étoiles et les nuits pleines de lunes,
Dans le réconfort de la sagesse et les lunes habitées,
Il n'est pas pour moi de meilleurs refuges
Que tes yeux où toujours je me retrouve,
Sans jamais rien avoir à demander.

Et, quand tout a été donné,
J'aime dans tes yeux
Trouver encore davantage,
Car tes yeux seuls sont inépuisables à m'aimer,
Sous le ciel de l'été,
Ou les jardins de l'orage.

★

LES NOCTURNES

Rêves d'amour où des visages se confondent,
Où tout semble si doux aux supplices d'amour.
Plus je me regarde dans cette eau lourde et profonde,
Plus la nuit se masque et va rejoindre le jour.

Rêves d'amour si vastes où toute présence est don,
Où toute lumière est morte, où toute raison s'endort.
J'entends ces musiques vénitiennes, ces chants d'abandon
Qui tissent dans la vie les promesses de l'aurore.

Pourquoi faut-il que ces désirs s'envolent,
Aillent disparaître comme des adieux
Qui feront défaut, qui me rendront folle ?
Pourquoi faut-il tourner son visage à Dieu ?

Que sont devenus ces mots sur les chemins d'ortie ?
Plus je serre contre moi ces portes lourdes,
Plus je m'aperçois qu'il faut parfois payer le prix
De ce que l'on n'a pas dit, de ces paroles sourdes.

Rêves d'amour aux intonations moroses,
Le monde est sublime et si plein d'amertume.
Tout exil vient de la terre et s'éparpille en écume,
Toute tentation aboutit et dérive en osmose...

Et ce sont des pages entières à écrire qui assoiffent le cœur,
Qui remontent à la surface comme ces souvenirs à revivre.
Faute de les avoir bien vécus.

Le 13 novembre 1987

Il n'y a pas de plus bel Amour que celui que tu m'as donné,
Il est de ceux à qui l'on ne peut rien prendre,
Il n'y a pas de plus bel Amour que celui que tu m'as laissé,
Il est des heures où je ne cesse de t'attendre.

Les belles choses en ce monde, Éric, j'aurais voulu les
    connaître avec toi
J'aurais voulu que tu me regardes grandir…
Les belles choses en ce monde, Éric, sont dignes de peu de
    foi :
Elles épaississent le sommeil et vous condamnent à dormir.

Mais jamais, jamais ma main ne quittera la tienne,
Les beautés de ce monde, je les assouvirai pour nous deux
Je trouverai cet idéal de vie pour t'en faire un grand feu.
Qu'ils viennent me chercher, s'ils osent ! ma main restera
    dans la tienne.

Il n'y a pas de plus belle raison d'exister que celle de te survivre,
Et d'apprendre à aimer ce qui se brise un jour,
Il n'y a pas de plus belle raison d'exister que celle de te revivre,
Et de chérir ce qui n'a point de mort, ce qui est à nous pour toujours.

Les lacs glacés en ce monde, Éric, ne sont pas les miroirs du Ciel,
Pourtant j'aurais tant voulu que tu me reconnaisses...
Les lacs glacés en ce monde, Éric, sont si peu fidèles,
Ils sont sans substance et je les devine sans adresse.

Il n'est point de lieu où je doive te chercher,
Il n'est point de parcelle dans ton âme que je ne suive à la trace...
Ils ne pourront jamais détruire ni incendier la glace
Qu'ils ont donnée à la terre, car ils ne savent pas pleurer les yeux fermés.

Il n'y a pas de plus bel Amour que celui que tu m'as donné,
Il est de ceux à qui l'on ne peut rien prendre,
Il n'y a pas de plus bel Amour que celui que tu m'as laissé,
Jamais je ne cesserai de t'attendre.

Le 14 novembre 1987

L'amour d'un homme pour une femme,
C'est un livre d'enfant
Aux mille et une nuits.

Aux mille et une nuits,
Où tes yeux ont navigué en moi
Sur des lacs étoilés.
Aux mille et une nuits,
Aux cités charnelles,
Où tes désirs m'habitent,
Où ta voix m'appelle,
Sur des lacs lumineux,
Au-dessus des étoiles liquides.

Le 6 décembre 1987

Chaque éloquence de ton cœur
Te rapportera à ce que Dieu créa de plus beau.
Ton visage ramifié extra-lucide
Sous le vent des arbres,
C'est déjà sans doute la vie qui recommence.

La mer sur le sable,
Posée comme un coquillage
Et ton visage encore sur papier calque
Derrière la brume des eaux,
C'est déjà sans doute un regard dans la nuit.

Mais toujours la vie qui fuit
Mais toujours la même image.

Chaque éloquence de ton cœur
Te fera boire la tasse
Dans les nuées profondes
Où se débattent les fous.

Mais toujours la même image
Mais toujours la vie qui fuit.

N'oublie pas que mon amour demeure
Sur la neige du passé,
Sur le vent des arbres,
Sur la brume des eaux,
Dans les nuées profondes,
Dans tout ce qui me rappelle l'éloquence de ton visage oublié.

C'est déjà sans doute la vie qui recommence.

Le 6 décembre 1987

Dans l'eau folle de tes cheveux,
J'ai trouvé ma source où ton ombre
Détourne la sécheresse.

Mon amour est une eau forte qui s'inscrit à l'infini dans la
source du repentir...

Car souvent, seul ton souvenir demeure
Comme si tu conditionnais ma mémoire,
Comme si ma mémoire acceptait tes conditions.

Tu es perpétuellement dans l'antichambre de ma maison et
malgré moi, tu n'es plus là où l'eau folle de tes cheveux fixe
l'eau forte de mon amour.
Non, tu n'es plus là et chaque seconde qui repasse, je me
demande celui de nous deux qui est parti pour ne plus
revenir.

Tu m'as éloignée de moi-même
Tellement je t'aime.

Le 29 décembre 1987

La Rue

À la terrasse d'un café, un homme regarde l'évolution d'un monde qu'il ne reconnaît plus ; un monde avec ses gestes nobles et indigents, ses mouvements et ses incohérences. S'il avait été peintre, il l'aurait dessiné mais ce monde-là aurait condamné à l'imaginaire et au sordide la fixité de l'image : cet univers de poussière, cette reproduction immuable des mêmes symptômes de la vie, ce cafouillage d'instants éternels, c'était la rue. Perdu dans la foule, isolé dans ses songes, cet homme qui n'a pas de nom, observe ce long cheminement anonyme de destins qui se mêlent et s'entrecroisent sur le pavé. Avec l'oubli de soi-même qu'impose parfois le vide ou le trop plein de l'esprit, il regarde et s'enivre de solitude. En réalité, on lui avait « appris » à être seul ; c'était comme une manière de « ne pas être » chez lui.

Tout à coup, la nuit tombe comme un long manteau d'hiver, les étoiles montent aux arbres et le ciel ferme boutique. Il n'y a plus personne dans la rue sauf toujours cet homme, à la terrasse d'un café dont les portes sont closes. Plus rien que le silence et l'indifférence d'hier et d'aujourd'hui dans un rêve de folie lucide et presque élucidée. Et, sur ce boulevard abandonné aux déserteurs, elle apparaît avec son visage d'enfant des rues et son allure de femme amoureuse. Elle est belle, douloureusement belle pour l'homme dont le regard boit son ombre. Cette femme sans nom qui ne fait que passer et qui n'est pas tout à fait ni dans son monde, ni dans celui des autres, est balayée par le froid intense qui se dégage des murs.

Si elle était une fleur, elle serait sublime; si elle était un parfum, elle serait envoûtante; si elle était un paysage entier, elle serait généreuse et bienfaisante; si elle était une œuvre d'art, elle serait parfaite et donc ne serait pas. Mais, elle n'était qu'une femme et elle était fragile, comme une fleur, un parfum, un paysage entier ou même une œuvre d'art. Tout cela bien sûr il ne le voit pas car il ne voit qu'elle, et car il est dans la nature de certaines personnes de passer éternellement à côté de l'essentiel (mais cela, c'est moi qui le dis). Au plus profond de sa rêverie, il «sait» pourtant qu'elle est la femme de sa vie; il sait aussi qu'il n'essaiera pas de la retenir parce qu'elle a froid, qu'elle est pressée, et puis voilà. Quant à lui, il est seul depuis un bout de temps déjà et la solitude est avec la mort le seul mal incurable. Elle a d'ailleurs également son agonie lente et destructrice qui ronge tout au-dedans, tout en sauvant les apparences.

L'homme, étrangement, connaît son destin et le déroule sans surprise, il n'a même pas l'air de souffrir, tant il est fasciné par la beauté et la démarche de la femme de passage. Il ne se demande même pas pourquoi il n'y a qu'elle là où juste auparavant, la foule compacte sombrait dans la nuit. L'horloge indique la fin du temps et l'homme serein finit son verre d'amertume comme d'autres boivent leurs larmes, tout en suivant des yeux la femme qu'il abandonne. La rue passe à son tour, sans émotion… L'homme s'endort dans les brumes de l'aurore à peine éclose.

Le 30 décembre 1987

Quand le soleil tourne
Comme un manège insensé
Je ressens ton parfum
Odeur passée qui a tourné
Senteur morte

Comme ces vies vides de souvenirs
Le soleil marche
Cristal de roche
Étrange soupir

Passe une raison de vivre qui a peur de mourir
Passe un homme qui a froid et qui avance derrière son ombre
Le soleil marche
Marche du monde

Mes souvenirs ont les veines ouvertes
Mais le rouge leur sied bien

Ne m'envoie pas revenir en arrière
J'aime que le passé demeure devant
Loin devant
Et qu'il soit éphémère
Tout en me laissant le temps

Quand le soleil tourne
Je vois des forêts entières
Embrasées par une flûte enchantée
Et des villes exigeantes
Brûlées par le pendule des heures
Triste et sévère hécatombe !

Comme toutes ces vies vides d'avenir
Le soleil marche
Diamant utopique
Singulier désir

Passe un amour qui ne sait pas tourner la page
Passe l'aurore de peur de voir le jour et ses espoirs
Le soleil marche
Marche ronde

Mes souvenirs ont les yeux grand ouverts
Mais le deuil leur sied bien

Le temps qui bat monnaie
A créé l'or du soleil
Mais moi je veux un soleil immobile

Aux branchages verts
Aux fruits d'argent

Épargne-moi l'odeur du temps
Je crains de ne pas courir assez vite pour revenir au passé
Je crains de mourir aux pieds du soleil
Comme une ombre qui se serait enfin retrouvée

Le 10 janvier 1988

La nuit tombe
Rien au dehors
Rien au dedans
Je m'enferme
Dans les rêves d'autre part

La nuit tombe
Elle a des poches sous les yeux
Ton regard a des pauses
Comme de lancinants appels de phares
Comme les phares bleus de l'absence
Derrière les murs de la mer

La nuit tombe et ne se relèvera pas
Elle a la lente résignation
De ceux qui vont mourir
Je retrouve dans ses yeux
Les tiens prêts à partir

Le coup est tombé
Comme un couteau haché
Sur tous les rêves d'autre part
J'ai fini de pleurer

Rien au dehors
Rien au dedans
Que nos absences conjuguées
Comme des phares bleus éteints
De la nuit
De l'amer
Des ruines sans bruit

La nuit tombe et ne se relèvera pas
Elle a la brusque beauté
De ceux qui vont mourir
Je retrouve dans ses yeux
Les tiens prêts à mentir

La nuit, une tombe

Le 24 janvier 1988

À l'enfant que je vois en rêve

Je me suis penchée sur l'enfant
Dont le front dormait comme un oiseau brûlant
Je me suis penchée sur ce petit monde
Dont les courages valaient ceux de la vie
Et ce môme que j'aimais à la folie
Avait les yeux fixés sur la vitre
Dans une attente recueillie
Douleur tu m'as enseigné la beauté
J'apprends à la connaître
Mais jamais il n'y en aura tant que dans la vérité
Que cet enfant rêvait de m'apprendre

Je suis restée penchée Je ne me suis jamais relevée
L'enfant avait créé son propre bonheur
C'était une jolie fleur en papier
Comme celles que je faisais au jardin d'enfants
C'était une jolie fleur en papier
Le jardin secret d'un enfant

Qui avait laissé sa main lucide dans la mienne
Dans la mienne

Le 31 janvier 1988

Prière à une très grande âme

(J'ai appris ta mort quelques heures seulement après avoir achevé ce poème. J'aurais voulu ne pas l'écrire.)

J'aime en toi la faiblesse
Reine parfaite aux yeux défigurés
J'aime en toi la constance
Eau bénite dans l'eau sale
De ce temps maudit que j'exècre
J'aime en toi le courage
Que tu mets en toute chose
Comme pour pardonner
À ceux qui ont peur pour toi
J'aime tes yeux vides
Qui se remplissent de nuages
D'eau de mer et d'eau de vie
Comme les navires dans les vagues
J'aime en toi tout ce qui est ressemblance
Et que je n'ai vu nulle part ailleurs
Je t'aime
Parce que tu es reine
Dans un pays que je connais
Dans un pays où l'on est seul

Pour la première fois
J'aime toutes tes batailles
Où tu combats les poings serrés
Sur le blanc désinfecté
Couleur exécrable des chambres de passage
J'aime tes rêves et tes prières
Où tu te replies comme un animal blessé
Comme un petit soldat vaillant
Qui ne peut pas empêcher
Le tremblement de ses membres
La vie en toi est un calcul
Que personne ne connaîtra jamais
Une prise de position un serment
Toute vie en toi est plus grande
Que toute œuvre humaine
Plus belle et plus admirable
Que les œuvres incomprises
Tu me fais penser à ces enfants que j'aime
À tous ces mots qui n'ont pas de prix
J'aimerais tant te serrer dans mes bras
Pour t'empêcher de grandir
Pour t'empêcher de comprendre
Ce qui s'oppose à toi
Ce qui est trahi par chacun de tes sourires
J'aimerais tant te serrer dans mes bras
Pour m'empêcher de souffrir
Là où tu as mal
Pour m'empêcher de sourire
À cette vie qui ne te mérite pas

Puis je repartirai
Dans cette eau sale et polluée
En pataugeant dans la flotte
Où s'enlisent les grandes âmes
En pataugeant dans ce ruisseau
Dont on confond la teneur
Dont on mésestime la profondeur
Et je penserai à vous mon Dieu
Dont j'aurai peut-être oublié le nom
Permettez-moi alors de vous haïr
Et de ne pas pleurer
Comme cette eau stupide et mal répartie
Qui tombe du ciel
Mais qui tombe là où elle n'est pas nécessaire
Permettez-moi de vous haïr
Pour tous ceux dont vous ne pouvez pas
Remédier le mal
Permettez-moi de vous haïr longtemps
Pour me persuader que vous êtes toujours là
Pour me persuader que je suis toujours là
Là où avancent les courants humains
Comme des machines
Aux yeux remplis de rien

De rien mon Dieu de rien du tout

Le 8 février 1988

Sur le parvis de Notre-Dame
Au dallage étoilé
J'ai tant pleuré et mon âme
A fini de mourir
Au nom de la liberté

Ton épaule était creuse
Mes larmes y ayant creusé un sillon
Où la terre est humide
Où la rivière est aride
Pour toujours

La pierre contre nos cœurs
Froide et douce comme la guillotine
Froide et folle comme la neige
Sur les pieds nus

Sur le parvis de Notre-Dame
Dansait la Esmeralda

Emportant la beauté de mes jours
Se cachant dans les angles maudits
De la lumière

Ton épaule était frêle
Branche sous le vent
Qui déchire la tempête
Branche pauvre où s'abattaient
Les souffles intérieurs

Tout à coup les pigeons
Et leur messe noire
Puis le soleil sordide et rond
Le deuil éternel des étoiles
Dans les cheveux de la Esmeralda

Mon regard vers toi
Sans courage ni dignité
Sans le recul du temps
Mon regard perdu en toi
Comme dans la grotte des apparitions

Sur le parvis de Notre-Dame
Nous nous sommes recueillis
Pour oublier le manque
Et la ronde des oiseaux
Et la marche de ce monde
Et la douleur aussi

Ton épaule était froide
Comme la pierre sous nos pieds
Couperosée par les langueurs de la Seine
Mais je t'aimais d'amour
Et la vie était ailleurs

Par la fenêtre le voile blanc
Qui mène à la mer
Qui ment sur la couleur du voyage
Qui ne donne rien à l'innocence
Qui n'enlève rien à l'atroce sillage
Le voile blanc de nos songes
Dans les danses volatiles de la femme
Livrée aux rouages de l'absence intérieure

Sur le parvis de Notre-Dame
Tout était laideur et insolence
Se refermaient en toi les anges et démons
Tout était éperdument perdu
Dans les cris des cloches

Tout à coup le vide
Ton épaule qui tombe
Comme un monument
Que l'on avait cru édifié pour toujours
À la mémoire de la vie
Ton épaule qui se brise
Sur la pierre étoilée
Où se lamentent les cieux

Abattez-moi les cloisons de l'espace
Que je puisse enfin respirer
Dans l'air que tu côtoies
Mais je t'aimais d'amour
Et la vie rêvait d'ailleurs

Sur le parvis de Notre-Dame
Je passe à présent sans savoir
Mais les pierres gardent les marques
De toutes les heures qui passent
Alors que le temps est arrêté
Pour toujours

Juste le temps de se souvenir
De respirer les parfums de ton âme
Qui avait les éclats de la fête
Juste le temps de revoir danser
L'Égyptienne dans la nuit
Où s'enferment les murmures des explications
Qui ne viendront jamais

Les pierres sont muettes
Sur le parvis de Notre-Dame
La douleur y avait la même froideur
Que la neige sur les pieds nus

Le 17 février 1988

La fontaine aux miracles

Voici que tu te meurs en moi, donnant à mon sang le venin de l'indifférence. Voici que tu te meurs en moi et que c'est moi qui meurs de la maladie d'amour. Je meurs de tout ce qui n'est pas toi, de tout ce que tu as mis en moi pour ne laisser que de la cendre. Et ce serait si facile de pouvoir partir, de quitter cet univers pour ne plus espérer dans le vide mais, je ne le peux pas, définitivement. Aujourd'hui, ta voix a fini de m'isoler dans un monde où les cris font rire les larmes, où le jour n'est que la continuation de la nuit. Et la nuit, elle dort sans moi, elle n'ose plus m'attendre car elle redoute mes yeux ouverts dans le noir. Et que te dirais-je au-delà des mots ? Et que te dirais-je qui puisse te faire comprendre l'attente ? Quand je te regarde, je me noie et toi, impassible, de la berge, tu m'observes couler comme une pierre lancée en guise de vœu.

Il existe des fontaines dont le fond est brillant comme de l'or et dont des milliers de pièces recouvrent les mosaïques comme les yeux du Christ au fond de l'eau. Ma pièce à moi, il semble qu'elle flotte, telle qu'un songe de pesanteur. Ma tête à moi, il semble que tu l'aies enfouie pour toujours dans ses songes merveilleux et que j'aie du mal à remonter à la surface. Et quand tu me prendras dans tes bras, mes mots viendront échouer parmi les pièces rouges de la fontaine aux miracles.

Le 3 mars 1988

L'accueil des métamorphoses

Mon cœur prend l'eau
Et la marée basse a tout emporté
Le lit de la rivière est défait
Il ressemble à la terre
Lorsqu'elle se gonfle de chaleur
J'ouvre la fenêtre
Pour faire déborder ma vie
Et toute cette eau tombe
En a emporté le fruit
C'est après l'aurore
Après la nuit
Que reviendront les flots
Submerger l'irréel
Dans ma tête
Image concave
D'une histoire à venir

Mon cœur prend l'eau
Et le navire coule au fond

J'ouvre la fenêtre
Pour te voir encore
T'engouffrer dans la rivière morte
Et t'épaissir de nuit
Minuit déjà?
Mais où en est ma vie?
Tu t'assois dans les arbres
Pour attendre la lune
Qui ne viendra pas ce soir
Attends l'aurore avec moi
C'est après la nuit
Qui respire la terre
La terre de Sienne
Des peintres et des couleurs
De la création
Qui ne viendra pas ce soir

Car la terre a soif
Et je ne sais pas comment
Lui donner à boire

Le 5 mars 1988

Nocturne

« C'est la nuit qu'il est beau
de croire à la lumière. »

E. ROSTAND, *Chantecler*

Le sourire est encore plus beau dans la nuit. Qu'est-ce que ce toucher imperceptible qui effleure ma joue et s'en retourne ? L'innocence dans le noir a des mouvements d'impatience, ses pleins et ses déliés. La constance évolue et se propage et c'est sans doute une aventure que de se lancer à sa poursuite. La nuit, mon repos, mon âme est une fenêtre ouverte mais qu'importe après tout puisque les murs tombent comme des châteaux de cartes. Je crois que dehors, les arbres poussent autrement et que les feuilles ont d'autres odeurs. Le noir est absolu comme pour développer des photographies : dans la nuit, la chair est épargnée par le voyeurisme, les veines coulent à flots. Je crois que les arbres et les feuilles dorment autrement et prennent des wagons-lits pour faire le tour du monde, pour ne pas rencontrer les heures indiscrètes. La nuit est un motif dont je voudrais bien tapisser mes murs... les murs isolés de ma chambre. Parfois, il n'y a pas de lune : c'est que j'en ai mangé un bout pour savoir enfin quelle saveur a la beauté et ses affluents secrets, vins qui dissipent l'eau. Résultat ? La beauté est invincible, j'ai déposé les armes de sang-froid. L'art est nocturne et n'a point de dignité lorsque la clarté l'ensorcelle. L'art, ce soir, c'est le Requiem de Mozart, les montres molles de Dalí, le nénuphar dans les poumons de Chloé et les vers qui s'écrivent sur les murs, pour essayer de marquer la vie du sceau temporel.

Le génie, il faut l'écouter vibrer mais ne pas respirer trop fort, c'est une chose si rare et si fragile. La nuit pour moi est son royaume ; je m'enferme avec toutes ces belles choses qui échappent à la compréhension et qui déterminent le sens des reconversions d'un soir. Je me dis souvent que ces sourires qui ont plus d'écho dans les abîmes du non-jour, habitent les visages qui collent à ma peau. Ces visages immatériels que l'art produit et dérobe, au hasard de ses rencontres. La nuit est un espace à combler et à densifier : elle n'a de valeur que comme aboutissement, le jour avant et après, la mort devant et chaque soir un peu moins imperceptible. J'aime toucher du doigt ces emblèmes interdites qui sacrifient la vie à l'existence. Oui, j'existe mais suis-je bien sûre de vivre ? Je ne suis pas certaine que la nuit porte réellement conseil sur une longue portée. La nuit sacralise mais l'échéance est la même pour tous. Et le lendemain, c'est aussi se dire qu'un jour ou bien une nuit, il n'y aura plus de lendemain. Cette simple constatation n'a rien de lugubre ou de morbide, c'est déceler chez soi une innocence pervertie, une constance préparée à ne plus l'être... C'est s'approprier la nuit sur un terrain d'égalité et de respect mutuel. Je suis vouée à subir ses agonies de tous les jours ; elle aura à affronter la mienne : ainsi, nous sommes quittes mais elle au moins risque de mourir plus souvent que moi, et donc de vivre plus aussi. C'est tellement beau de penser que la nuit accompagne par son deuil et sa sobriété, par son cortège sombre de silence, la mort de chaque homme sur cette terre.

À jamais elle est notre compagne, celle qui refermera la lumière, en partant. La nuit, c'est la beauté de ce que l'on crée seul pour s'assurer que l'on participera à sa procession éternelle, en tenant une fleur à la main pour accompagner les pleurs des femmes en noir. C'est aussi l'évidence de ce que l'on crée à deux pour ne pas désespérer de voir mourir les étoiles, pour que la peau ne soit plus que le toucher des rêves. Après l'amour, après la musique, les livres, les songes, les processions divines, les prières viennent et apaisent sans soulager mais, le sommeil héberge la misère tout comme la peur. Et le matin se lève sur Paris, peut-être ailleurs. La Seine est acier et Notre-Dame a les brumes enneigées du repos éternel devant les yeux. Les ponts sont mouvants, les regards éphémères. Dans le square et les places, les arbres sont posés comme des feuilles sur la terre. Et j'ai beau défigurer le ciel gris-mauve, la nuit s'en est allée, anéantie d'elle-même.

Le 9 mars 1988

« Vienne la nuit sonne l'heure
Les jours s'en vont je demeure »

G. APOLLINAIRE, *Alcools*,
« Le pont Mirabeau »

★

LE LIVRE NOIR

d'avril à septembre 1988

Ce livre est noir

Je le promets à tout ce qu'il me reste à écrire
Je le dédie à ceux qui sauront voir à travers les lignes,
À ceux qui devineront peut-être ce que je n'ai pas su leur dire,
À ceux enfin et toujours que je porte en moi.
Ce livre est à la couleur du non-dit.

Il n'y a pas de moyen de concurrencer Dieu
Ni moi ni personne
Il y a seulement un moyen de se concurrencer soi-même
Et de s'affranchir par delà les limites
Pour se témoigner à chacun le don de la vie
Qui vient d'on ne sait où
Qui aboutit autre part
Mais de vous mon Dieu je ne sais rien
Si ce n'est les contours tranchants du doute
Si ce n'est les éclaircissements de l'amour
Qui renouvellent chaque jour votre substance
Tout le reste n'est qu'incohérence

Les cils noirs battent comme des ailes perdues
Et ce sont tes yeux que j'ai oublié d'éclaircir
Parce que je perçois leur insuffisance
Les eaux montent par l'escalier
Comme des rêves nuancés échelonnés par paliers
Mais tu n'as rien à craindre
Tes yeux sont indélébiles
Et tes cils sont trop noirs pour se diluer dans l'eau

Je ferai de mon corps un mur
Pour empêcher l'inondation
La réverbération de l'escalier de ton regard
Où l'on monte aussi par paliers
Les cils noirs sont accrochés aux rêves de petite fille
Comme à des miroirs déformants
Où le rimmel coule goutte à goutte

J'entre en toi pas à pas dans ces reflets passés
Mais il ne reste rien qu'une poupée délaissée
Qui observe un cercueil transformé en aquarium

Viens amour aux cils condensés
Resurgis des miroirs aux rêves brisés
Resurgis dans les ombres de ce monde nouveau
Où tu reprendras ton envol
Je ferai de mon corps une impasse à tes rêves
Une zone où papillonneront tes yeux
Et leur marche d'enfant

Il est facile de se noyer dans un verre d'eau mais qu'il doit être difficile d'y nager. Pourtant, ce serait une solution : on prendrait conscience de l'étroitesse de la situation, on se trouverait ridicule et on arrêterait de tourner en rond. En se diminuant ainsi, sans doute est-il plus aisé de reconquérir son espace vital et de reconsidérer ce verre d'eau qui, même s'il est rempli de larmes ou de pluie, n'est jamais qu'un verre d'eau.

Il est des fois où je voudrais boire la douleur dans tes yeux. […]

Les nuits sont trop courtes et j'épie mon sommeil avec anxiété. Si seulement je n'avais pas besoin de sommeil ; si seulement j'avais le temps de vivre. Mais le temps passe trop vite et je ne peux en retenir que des saveurs prises au vol de leur délivrance. Des saveurs qui flattent le palais ou qui le meurtrissent comme des lames salées, des saveurs toujours. Car le temps se goûte, faute de se savourer. Le temps d'écrire quelques mots et mon âme demande le silence comme dans les couloirs des grands hôpitaux. Mais je suis guérie de moi-même et je retrouve les images d'enfants que je tâchai d'oublier et qui étaient misérables et malodorantes sur les murs blancs et sales. Mais je suis guérie de tout sauf de moi-même et, sur ces murs qui sont impénétrables, je ne vois que mon reflet qui a un rire jaune comme ce soleil d'enfant malade. Pourtant, tout porte à croire que j'ai tourné la page et que je me dédouble à l'infini pour ne pas rencontrer cet autre moi-même, souffrant et pleurant de l'intérieur. Mais, parfois la nuit, au creux de ce bonheur enivrant des vacances, je me remémore d'autres nuits d'un temps perceptible comme la bonne odeur d'un être aimé,

113

comme la saveur riche du pain frais, comme tous ces appels qui communiquent en moi… d'un temps tout chaud comme un petit animal abandonné, recueilli et aimé tout contre sa peau. Le temps joue avec moi car il sait que chaque jour il me retire un peu, tout en mélangeant les cartes. Mais j'ai faim de lui et je le croque deux fois plus vite par souci de satisfaction personnelle… même si cela mène à l'autodestruction. Tant pis, j'aurai aimé la vie et je l'aurai goûtée comme un beau fruit.

Demain, la nuit sera longue.

Demain, je serai à Tanger, où la saveur du temps, où celle du monde, dévoileront de nouveaux appas à mes nuits.

Demain, je me perds dans Tanger et je ferai boire la nuit pour que dans ses vapeurs d'alcool, elle oublie que je ne dors pas. Ou si peu. […]

Le saut de l'ange

Mon rêve part et s'enfuit
Sans que je puisse le retenir vraiment
Et c'est un jeu entre nous deux
Un «je» que je connais pas

Faux fuyant, faux reflet, fausse peine
Je passe dans la rue
Les gens s'en vont
Comme un chapelet qu'on égrène

Le plaisir dans tes yeux
Me laisse nue et sauvage
Où est le centre de gravité
Des minutes qui explosent?

Mon rêve est bondé
C'est un métro aux heures de pointe
Seulement ceux qui y passent
Je ne les égorge pas

Du sang, du sang, du sang
Pour achever mon rêve
Pour le noyer dans sa propre hantise
Et ne plus jamais me sentir habitée

Je passe dans la rue
Un musicien joue des airs
Des airs sans oxygène
Mendiant des morceaux de rêve

Pour s'en faire un bouquet
Où plonger sa détresse
Mais que puis-je lui donner ?
Mon rêve est attaché

Je laisse le musicien
Aux allures de poète
Ses doigts sont magiciens
Mais mes poumons ne respirent plus l'air

Hier encore ton corps fatigué
M'abreuvait de mensonges
Amour, que fait-on aujourd'hui de la réalité ?
Tu cernes les yeux pour mieux la contourner

Pas de chance pour le musicien
Les paroles sont fausses
Les notes, elles dansent
Mais plus personne n'y songe

Pourquoi me suit-il ?
Celui que j'ai quitté ?
Fausse pudeur, fausse chanson
Il me prend dans ses bras
Pour les quatre temps d'une valse

Les gens s'en vont
Comme un chapelet qu'on égrène
Nous restons seuls
Interdits et fautifs

Au revoir monsieur
J'ai fait le saut de l'ange
Et ma mémoire s'est brisée
Rien ne sert à rien

Fuyez vite musicien
Au cinquième temps je vous tue
Je ne suis qu'un rêve
Poursuivant son image

Je ne suis qu'un rêve
Je ne fais juste que passer
J'ai fait le saut de l'ange
Et le monde s'est envolé

Plus rien à voir

Ne me souris pas trop fort,
Cela cogne en moi à toutes les portes
Et je m'endors dans les bras de Magritte.
Femmes à tiroirs chez Dalí,
Heures minutées en absence,
Trains fumants, maisons pleines,
Vous entravez mon regard.
C'est la guerre des tranchées.
Comme en 14.
Tombez vite, cubes du ciel géométrique
Avant que le manège des yeux ne tourne au délire.
J'attends, j'attends l'overdose,
L'exclamation, le point final.
Mais je viens vers vous, images qui me donnez à boire
Et cette eau qui coule dans ma gorge est un vin, une fleur
    blanche.
Je pars en vacances avec Hegel et son parapluie :
Comment avez-vous deviné, Magritte, que c'était mon philo-
    sophe favori ?

Qu'avez-vous pris de moi qui s'émancipe en rêve
Sous les formes contrôlées du mensonge et du « dira-t-on
    jamais assez » ?
Comme ce verre sur le parapluie,
J'attends le génie qui ne pleut pas,
Qui dessine la soif et rassasie la pensée.
Point de jeu, Magritte, dans la vue :
Tout dans la pensée, cet oiseau fertile et imbibé.
Vos amants sont voilés et vos dormeurs téméraires ;
Les hommes tournent le dos,
Observent l'illusion que vous nous donnez en pâture.
Silence, passages solitaires à la rencontre du non-dit…
Ce n'est pas la flamme qui tombe mais le bougeoir,
Je m'isole, il n'y a plus rien à voir.
Plus rien à boire non plus de vos mers,
Les ciels sont injectés de rouge
Et mes yeux balancent, ivres et reposés.
La mémoire est une statue décapitée au front sanglant
Mais derrière, l'eau est plate et calme.
Qu'importe la mémoire, je me prête à vos symboles.
J'attends, j'attends de sombrer
Et d'écrire au bas de cette page
Ce mot qui va trop loin,
Ce mot qui coupe court à la folie :
« SURRÉALISME »,
Ombre d'un choix maudit, ombre à tiroirs.

Les cris du ciel

Que Dieu protège ceux qui sont partis
Les voilà faisant la ronde autour du grand arbre
Sur la pelouse éteinte ravivée de murmures
Les voilà silencieux et blancs
Guidant ma main de leurs visages reconnus
Mais où est donc leur monde
Ailleurs qu'en moi-même ?
Vous me faites mourir
Mourir à l'idée de vous rejoindre
Et de regarder à mon tour
Avec les yeux de ceux qu'on ne reconnaît pas
Encore une apparition un geste condamné
Vous dansez autour de l'arbre
Mais l'on dirait plutôt que vous marchez
Comme par intervalle
Il y a là un enfant reconnu par sa mère
Aux couleurs de l'étreinte que l'on donne dans le vide
Il y a là la femme de jadis dont on peint les portraits
Et que l'on a jamais vue

Et qui a les sourires des repos sans sommeil
Il y a là Éric beau et la main sur le cœur
Est-ce sa main est-ce son cœur qui a un regard vers moi ?
Et ses yeux tendus de noir jouent à cache-cache
Avec la nudité de l'arbre
Avec la raison d'être et celle du devenir
Il y a là les enfants sans têtes de la guerre
Soudain apaisés et sublimes
Aux intonations de la souffrance qui dépasse tout
Des mains les entourent et les protègent
Les mains rouges des ennemis

Et les bombes sont les rimes qu'on mutile à présent
Et la guerre n'a plus le regard tombant
De ceux qui sont tombés
Mais un enfant ne meurt pas pour un idéal
C'est l'idéal qui meurt avec la perte d'un enfant
Et la ronde s'efface
Comme un cercle magique
Et mes bras l'entourent
Et mes bras se trompent
L'arbre s'éparpille en miettes
Adieu les oiseaux au plumage chaud
Mes mains sont glacées
Et la glace vous emporte
La nuit aussi sur le bandeau d'Éric
Il n'y a que moi qui vois qu'il est aveugle
Dans ses mains les oiseaux s'enivrent de chaleur
Mon amour tu es un soleil qui guérit tout

Un soleil qui engendre ma vie
Celle que tu m'as offerte
Pour leur pardonner de m'avoir pris la tienne
Oui ils me l'ont prise
Les oiseaux dans les mains rouges
Les oiseaux dans les mains rouges sont glacés

Et dans une chambre d'un grand ministère
Un homme que personne ne connaissait
Est venu attendre qu'on vienne le chercher
C'est la guerre celle que je n'ai pas connue
Et les bombes ont emporté les enfants
Ce sont des pies voleuses
Et tout le monde est parti
De peur de mourir
Mais cet homme lui attend
Et devant un grand feu qu'il vient d'allumer
Dans la pièce sombre
Il déchire en tout petits morceaux
Les rêves éclopés des minutes
Que l'on a arrachés de sa montre
Il supprime le livre qu'il avait dans sa poche
Histoire d'occuper le temps
Les soldats arrivent en retard
Le font prisonnier et le tuent
Au nom de la guerre celle que je n'ai pas connue
Et cet homme je ne sais pas pourquoi
Je sais qu'il m'arrive d'attendre avec lui
Au son des minutes qu'il déchire

Pourquoi est-il seul dans cette ville déserte ?
Pourquoi n'a-t-il pas fui ailleurs ?
Ses bagages sont devant la porte
C'est lui qui a décidé de poser ses valises
Pour la dernière fois
Il sait qu'il va mourir
Il ne dit pas pourquoi
Mais chaque fois qu'il respire
Dans le cœur du monde
C'est moi qui lui tiens compagnie
À cet ultime rendez-vous avec lui-même
Son visage est anonyme au possible
Son choix est fulgurant

Foudre et pluie sur l'arbre qui se rhabille

Éric je t'aime
Tu m'as dicté l'attente
C'est un livre que je ne cesse de déchirer
À chaque page tes mots ta bouche
À chaque page tu me parles de la Mort
Comme si un autre regard
Coulait son sang dans le mien
Je songe à des derniers instants solitaires
À cet homme perdu mais lucide
À mon soldat inconnu que personne ne connaît
À des oiseaux glacés aux yeux bandés
Je songe à toutes ces choses
Car tu es parti sans me retenir

Adieu
La prison est au-delà de ma fenêtre
Et ses barreaux géants sont souples
Comme de la guimauve
Les rêves chevauchent le temps
Et ma vie s'arrête auprès des autres
Tous ceux qui sont enfermés de l'autre côté
Là où les rondes sont oubliées
Où les étreintes se balancent
Et tirent sur les enfants
Là où les arbres ne portent plus les cris du ciel

Écrire, c'est jouer avec le feu, sans avoir d'antidote. Mais cet étrange combustible dont j'ignore la nature me pousse vers la révélation et la projection.

Écrire, c'est aussi regarder son sang couler, alors que l'encre de cette vision a déjà séché.

Faiblesse, je te hais de toi-même : tu es la marque de l'insuffisance, tu es tout ce que je déteste le plus au monde.

Faiblesse, tu fais prisonnier et tu blesses. Moi, je me fous de ces prisons-là car c'est vous qui vous y enfermez de vous-mêmes.

Vous, c'est toi, petit amour déchu de son trône, petit amour, retournez à vos châteaux de sable, avant d'avoir mangé toute la merde de ce monde.

Faiblesse, n'oubliez jamais que je vous abhorre au-delà des mots : on n'a pas le droit d'être faible, ni pour soi, ni pour les autres car vivre, c'est être fort et accepter de tomber sous le poids de ce qui ne nous appartient pas... sans sourciller.

Mes sourcils sont tombés, petit amour, le cœur les a soulevés comme des ondes de larmes qui ne viendront jamais. Pas de fleurs sur ta tombe, petit amour, mais tout le poids du Monde.

Faiblesse, tu ne peux pas me regarder en face car tu sais que je connais la vie et que j'ai payé le prix.

Il n'y a pas de faiblesse admise lorsque d'autres tombent d'une fatalité qu'ils n'ont pas désirée, lorsque d'autres trouvent dans la faiblesse les fleurs volées dans les cimetières, les fleurs immortelles de la puissance, de la force et enfin du respect.

Faiblesse, je ne te respecte que dans la fatalité et l'horreur. Mais quand je te vois dans ce que la terre a porté de plus chanceux et de plus heureux, tu me fais vomir.

Faiblesse, un jour ou l'autre, j'aurai ta peau.

Sans sourciller...

Mes sourcils sont tombés, petit amour, le cœur les a soulevés comme des ondes de larmes qui ne viendront jamais. Pas de fleurs sur ta tombe, petit amour, mais tout le poids du monde.

Le temps de rendre grâce

Grâce de mes jours
Dans la perte de mes nuits
Grâce de chaque instant
Perle solitaire
Je demande grâce
Pour les minutes qui s'enfilent
Autour de mon cou
Comme du fil barbelé
Grâce vie force déployées
Ce sont les étendards de ma liberté
Tout est art de situation
Situe-toi en moi sans reproches
Je veux ma fleur lointaine
Celle que tu ne me donneras jamais
Il n'y a point de disgrâce
Dans les yeux qui me lâchent
De m'avoir trop retenue
Soudain je fais œuvre de situation
Et tu grandis loin de moi

Petit enfant abandonné
J'aimerais boire le cœur solitaire
Qui t'habite sauvagement
La grâce de mes jours
A des appétits boulimiques
Face à un soudain désœuvrement
Je demande grâce
À temps cette fois
Attends de voir
Mes yeux attendent de te voir
De te reconnaître sans mentir

Renouveler le doute

Je ne connais que trois formes de courage : elles s'expriment dans l'acceptation de sa différence, dans celle de la douleur et enfin dans celle de la mort. Pour moi, le courage est une des formes de l'intelligence humaine. Je souhaite qu'elle ne soit jamais la figure âpre de la résignation.

Tout homme se promène sur terre avec une arme chargée dont il sait que la dernière balle sera pour lui. On est toujours le dernier à partir et c'est toujours trop tôt. Le suicide m'effraie plus que tout au monde : pour la première fois, un regard d'homme perd sa foi. Et quand un homme perd sa foi, je crois qu'il perd sa vie. Ce qui me fait le plus peur en somme, c'est de penser à la détresse humaine. Lorsqu'elle aboutit au suicide, c'est la pauvreté même, la négation même.

Le suicide n'est pas un péché, il est inutile de toujours tout ramener à la religion : disons que l'on s'arrache à soi-même l'extrême onction et que l'on se la jette à la figure. C'est sans doute la dérision qui est le plus terrible. La religion ne donne pas un sens à la vie, je ne le crois pas, mais elle donne son sens à la mort et c'est pour cela que l'on se l'attache à vie. Pour moi, la foi est à reconquérir : elle m'a quittée et elle me manque (ou plutôt, je l'ai quittée et je lui manque… je ne sais plus).

Mais j'ai trop de perceptions de l'au-delà pour ne pas croire à la survie de l'être. Le plus beau reste encore à voir et à découvrir. Le courage est mon exigence idéaliste. Le courage, c'est aussi renouveler le doute.

Pierre grimpante

À la gloire de Mozart

Le soleil étanche mordille le lierre
Pierre grimpante couronne mon front
Je me souviens et c'est si facile d'attendre
Que les mystères renaissent prématurément

Les mots s'enroulent avec une obscure imprécision
La musique emporte tout sur son passage
Comme une marée basse aux algues intelligentes
Tu vois je respire des embruns de bas étage

Les marches se précisent celles d'une église
Pierre grimpante pierre projetée vers le haut
Un violon se ramifie c'est un bel arbre
Tu entends il y a des sons verdoyants sur mon front

Le soleil étanche s'attarde à la convalescence
Des vitraux de coupable industrie
Je me souviens d'avoir déjà gravi les étages
La musique s'enroule comme une femme folle

La femme folle serait-ce moi ?
Les embruns venimeux lèchent les vitrines
Comme si la mer encerclait l'église
L'escalier grimpant mordille le cœur de l'île

Et l'Art si impénétrable aux esquisses muettes
Accompagne le peintre reconnaître son œuvre
Les pleurs de couleur délavent les vitraux
De la chapelle où l'on se perd de soi-même

Où sont l'Évangile l'orgue la falaise ?
Une seule ardeur rappelle un passé précipité
Seule la musique rivalise avec les symboles
Pierre grimpante couronne mon front

À Mozart je dois une Église un arbre et une île
Je lui dois la grandeur de la mer et de l'oubli
Les marches des mots pierres sculptées
Le mouvement de la mort au front du Requiem

L'art vient manger dans ma main
C'est une étrange fontaine qui coule inlassablement
Comme cette musique trop intelligente
Je referme ma main et le passé éclôt comme une fleur outragée

Pierre grimpante pierre projetée vers le haut
Qui s'enroule autour de moi pour une danse à l'envers
L'église se recroqueville au sein de la musique
Je me souviens mais à quoi sert d'attendre ?

Les voix se distillent la musique se retient
Et les yeux mystérieux appellent la mer
Toujours plus haut au-delà des mots qui s'enlisent
L'horizon plein d'embruns couronné d'épines

Dalles de pierre aux yeux meurtris du passé
Jets d'eau recueillis de ma trop profonde chapelle
Les vitraux pleins de ronces respirent la musique
Sur cette île en hauteur où l'Art a des reconnaissances

Me voilà trop humaine et le son qui s'en va
À Mozart je dois une église un arbre une île
Le mouvement de la mort au front du Requiem
Diamant pur dans mes mains fontaine intarissable

À Mozart je dédie par avance le dernier instant de ma vie
Aux pieds de cette église où l'Art a des reconnaissances
Pour une ultime prière dictée à mes mots
Pour des flots de musique ravivant mes yeux éteints

Singulier – Pluriel

L'amour fiévreux comme un châle jeté sur des épaules froides
Moi je ne sais plus et je me relance sans relâche
Peu importent tes sourires mordus de péchés originels
L'amour je le cherche j'aime ses yeux
L'amour grave gravissime
Celui qui ne partira jamais
Et la fièvre descend avec les jambes aiguës d'une femme
Fièvre des cheveux du corps déliés et des mensonges
Je suis perdue d'avance
Quand je regarde les jours vides de murmures
Au détour du chemin les heures reculent et s'amoncellent
Le tas des minutes réservées à ta ressemblance
Je vénère l'aventure qui se déploie qui plonge
Et si je te reconnais un jour sans t'avoir soupçonné
Tes sourires auront la gravité de ton esprit
Promenade dans un jardin lucide et nu
Là où la terre avalera nos baisers
Comme une manne tombée du ciel
Les mains offertes le cœur tourné vers l'intérieur

Pardonne-moi alors de t'aimer trop fort
Pardonne-moi à l'avance une soudaine gravité
Une escapade sombre et masquée
L'amour fiévreux comme une peur mûre à cueillir
La fleur des âges immatures comme un sourire mordu
Vite mords-moi ce sourire
Vite pars de moi le jour la nuit
L'ombre laissée au creux du lit nue dans un châle
L'âge de l'amour cela n'existe pas
Je suis perdue d'avance aux minutes anguleuses
L'amour grave gravissime au contour de l'eau
Cette mer dont on ne revient pas
Dont le labyrinthe se perd en toi
Vite la nuit sur la terre pour couvrir nos amours
Nos amours au singulier au pluriel
Au temps corrompu je décline ma gravité
Sur ta peau sous mes doigts

Ton visage s'évanouit dans les lignes de mes mains

Le chapeau à plumes

Et s'il est vrai que tu chavires cœur désenchanté
S'il est vrai que l'incohérence te tracasse
Comme ces jours où l'on se promène des deux côtés de la rue
S'il est vrai que tu te sens cloué à terre
Tout en vociférant comme un damné qui se souvient de l'irréel
Tout en marchant droit comme une bille désossée
Si tout cela est vrai sans que tu en comprennes un mot
Viens faire un tour de toi dans les figures du sommeil
Telle qu'une boîte à musique ta sensibilité se remonte
Viens faire un tour de tête-à-tête avec la grande peinture
Attention le monde est un joli chapeau à plumes
Que l'Art aime à semer au vent parfum dérisoire
Vois-tu l'incohérence cela se travaille
Et la réalité parfois a plus d'un tour dans son sac
La sale mendiante aux dents gâtées

Moi j'aime l'Art par vocation de m'échapper sans cesse
Par vocation de regard par vocation d'écriture
La peinture gicle partout dans ma tête

Comme si j'habitais un kaléidoscope d'horizons
Et je marche vois-tu avec la même folie que toi
Seulement ma douce folie n'a bientôt plus rien à voir avec la
  tienne
Les musées tu sais cela ne sent pas toujours le renfermé
Ce sont comme des pièces où il y a trop de fenêtres
Où les doigts sont emportés et bouffés par la couleur
L'Art est une forme de cannibalisme du vivant
Et plus tu en manges du vivant plus tu en es écœuré

Soudain les images au bout de tes doigts n'ont plus droit à la vie
Quand la vie passe le flambeau à la création
Le monde est un désert de plumes et tu promènes seul
Tes illusions faussement animales
Tu verras les paysages de Van Gogh les improvisations de
  Kandinsky
Les rochers de Magritte les oiseaux les enlacements de Chagall
Tu t'enfonceras jusqu'au cou vers d'autres demi-lunes
Vers d'autres explications vers d'autres sens
Moi je préfère ces jardins-là à tous les tiens

Tu te perdras gamin à la lumière de toutes ces fausses
  enseignes
Et quand incapable de comprendre sans plonger corps et âme
Tu devineras les formes vacantes tu te feras artiste dans les
  yeux
Cela est bien rare crois-moi que les trésors apparaissent à la
  surface
Tu emboîteras le réel par quelque tour de passe-passe

Tu emboîteras les mots trop faciles les images évidentes
Et le soir sur tes yeux se déposeront les nuées de ton ciel à toi
Tu seras ainsi vêtu des mots qui n'appartiendront qu'à toi
Attention au monde, ce joli chapeau à plumes
Attention à lui il te va comme une cravate à un lapin
L'incohérence ce n'est pas à mes yeux une maladie honteuse
C'est un paravent derrière lequel la réalité se déshabille
Elle reste nue avec le chapeau
Et avec les pompons elle a l'air d'une mule

Oui je connais ces jours où l'on se promène des deux côtés de
   la rue
Et où l'on soupçonne aisément une brisure dans le décor
Certaines âmes ont les défauts de leurs qualités
Et comme ces enfants extra-lucides jouant à la guerre
Elles se baladent dans ces mondes parallèles
Elles enjambent les balustrades et tentent le vide
Elles ont un souci éternel de voyager avec l'esprit
Voilà l'Art est folie et ses ramures contagieuses
Et le jour où il devient trop intense en vous
Il vous apprend à l'imiter
Drogue douce, drogue dure, drôle de vie.

Ces mains aux trois angles du destin

T'es-tu déjà payé les yeux de la tête ? Ces lucioles amoureuses
T'es-tu déjà payé le droit à l'horreur le droit à l'amer ?
Comme un citron vert aux écorces épicées je saisis ta respiration
D'un souffle déprimé et agile qui réveille le lointain
Les yeux de la tête pour voir la terre s'étendre de tout son long
Pour deviner pourquoi ton cœur bat encore sans s'y habituer
Je marche au creux de tes mains désertées
Au creux du sommeil des vivants
Au sein d'un hôpital régulier où se promènent les fous
Et mes pas vois-tu résistent au désir de courir
Dans ma vie dans ma tête je suis une morte assassine
Une mante religieuse posée sur la branche par effraction
Et quand je me paye les yeux de la tête je regarde deux fois
    plus fort
Le jardin s'enfonce de béatitude et creuse un nouveau ciel
La nature vient s'étendre somme de ses amours

T'es-tu déjà payé le droit à l'horreur le droit à l'amer
En déraisonnant de la vie aux saintes dédicaces

Il est facile de se souvenir de certains mirages où le large
s'intensifie
Où une main assassine vieillit comme une autre
Une autre et pourtant tu as l'impression de voir toujours la
même
La vertu fille neuve sous les orangers porte tes mots à sa bouche
Moi des mirages je t'en donne autant que tu voudras
Cela pousse comme du chiendent démultiplié
Et le pire c'est que tu t'y emmêles les pédales
Le pauvre est destitué mais ses mains ô mon Dieu ses mains
Ses mains ne retiennent rien des chemins qui avancent
Je peux tout me payer sauf le droit à l'horreur
Car les yeux de ma tête ne savent pas en revenir
Il ne faut pas aller trop loin la chaîne est trop courte

Mais la dérive est une nécessité
À ses filets se pendent tous les poissons du monde
La pêche miraculeuse se perd aisément dans mes yeux

Sur la place du village les vieux jouent à la chasse aux trésors
Et le prix c'est de ne jamais mourir comme un chien
Lui le chien du bistro jaune pastis ne comprend pas la meur-
trissure
Tu sais les chênes qu'on abat se consument tout bas

Dans les champs étourdis la guerre s'amuse à la paix
C'est comme la récréation des enfants de la petite école
Le soleil fait fondre le goûter et le papier d'aluminium brille
C'est drôle le vent se lève comme une bouffée d'opium

Les femmes promènent leurs enfants pour leur ouvrir les yeux
Et le ciel leur apparaît pour toujours sous les linges tendus
Les fleurs de l'herbe sont soûlées de tendre complicité
À l'égard des étoiles ces petitesses renouvelées

Et sur le pont les pêcheurs voient passer les sirènes
C'est dimanche pour tout le monde
C'est le jour du Seigneur pour les assassins aussi
Pour les hommes qui ne cessent de mourir comme des brutes

L'autre jour j'ai vu Bardamu il cherchait Robinson
C'est triste les âmes en peine celles qui se dédoublent à l'infini
Sans se rencontrer
J'ai vu la terre se replier comme une jolie anguille
Et les lettres s'envoler c'étaient les prières adressées au Seigneur

Oui la dérive touche le front des enfants
Comme les fées bénéfiques aux baguettes magiques
Mes yeux de la tête n'ont pas le droit à l'erreur
Et sur les mirages surprenants où la solitude est innée
Ils devinent qu'un miroir est jeté entre le ciel et l'eau

La tête à l'envers je vois le monde s'entretenir avec lui-même
Sur la surface lisse et glissante comme les visages démunis
De mensonges
Les visages qu'il reste à surprendre dans les ramures des arbres
Je me paye le droit au sommeil sous les cyprès

Je marche au creux de tes mains désertées
C'est une douce somnolence comme une valse de jadis
Et la morte assassine regarde les chênes qu'on abat
Elle observe les belles mains qui vieillissent comme les autres

Parfois la beauté est intolérable comme une feuille trop blanche
Une âme trop nue suprême indécence
Rentre tu vas prendre froid et moi vois-tu je ne suis rien sans toi
Rentre vite ne t'égare pas dans la toile d'araignée
Le monde tu peux le regarder ce triste animal
Mais ne le prends pas au sérieux dans ses jeux dans ses ombres
Dans ses lacunes béantes
Réchauffe-toi sans penser à la fin
On ne meurt jamais seul
Les grappes tombent en vrac
Ces destins ahuris
Prends ton temps

Ta tête dans mes mains
Jure-moi que je ne suis qu'une enfant
Jure-moi que je divague que mes yeux sont apparents
Mes mains dans ta tête enferme-les maman
Enferme ce qu'elles ont de vérité
Lorsqu'elles se confondent dans mes mots
Enferme-moi loin de ce que je devine

Les rêves sont morts à la chasse
Rien ne vaut ton amour tes mains douces comme les nuages
Quand je te ramène des morceaux éclatés de rêve

Tu me souris sans comprendre vraiment d'où je reviens
Mais à chaque fois tu recolles les morceaux

Le réel parfois c'est intolérable
Mais dans tes petites mains le jour éclôt en abondance
Et les fenêtres s'ouvrent
Et les voiles délicats m'emportent loin
Au-dedans des souvenirs aux ailes d'oiseaux

La carte du pendu

Une femme aux yeux d'eau dans une fontaine
Vend sa bouche et son corps aux écailles scintillantes
Les lumières d'un bar s'éteignent
C'est l'heure de la fermeture
La fontaine s'épaissit comme une pierre tombale
La vie disparaît c'est l'agonie de la boisson
Tout à coup la sirène ment comme elle respire
Voilà le mystère des nuits fabriquées
Et ses yeux sont rouges et désespérants
À ce prix je m'achèterais une belle mort volontaire
Ô belle eau aux couteaux
Ô champs déployés décors d'un savant théâtre
Où les rôles que l'on endosse comme des habits poussiéreux
Ressemblent étrangement à la vie
Je replongerai dans les eaux qui meurent
De s'abreuver de ton corps
Corps perdu dis-tu ?
J'ai tiré la carte du pendu
Et c'est la vérité qui tombe toujours du premier coup

Dans les rêves où l'on joue à ne plus revenir
Un petit ange sans prétention
Est adossé contre un mur près de la fontaine
Il tient dans la main la terre de son pays
C'est étrange les yeux fixes de l'oubli
J'oublierai à mon tour les regards égarés
On en croise tous les jours et on les dénonce aussitôt
La fontaine a un petit rire cristallin la sirène est ivre
Dans la main de l'enfant la terre modelée et épaisse
Résiste aux appels de fertilité
Je suis promise à ce rêve qui précise une forme d'indiscrétion

Tout est suggéré à fleur de peau
Dans les yeux tendus de vécu poussés à bout
Au bout de la mer les bateaux
Sur le fil continu où je cherche l'impossible
Jamais l'homme n'est aussi fragile que dans ses rêves
Jamais il n'a assez de défenses
Pour s'empêcher de s'égarer
Comme un enfant qui a un avant-goût du sordide
Comme une sirène qui s'évapore dans l'eau
Et qui attend de se payer les étoiles
Un diadème d'innocence je n'y crois pas
Et puis il semble qu'au-delà de la beauté
Rien n'est insouciant
Rien ne tend à l'être
La terre tourne en rond et fait à chaque fois le même tour
C'est une routine perverse que l'on essaye d'oublier
La terre tourne et l'eau vire

Tout évolue mais rien ne tombe plus vite qu'un homme
Qui a entrevu l'éternel
Éternité je t'en voudrais de ne pas exister
Si je ne connaissais pas ta bouche vendue
À l'humanité tout entière
Éternité à la portée de tous
Alcool véritable pour ne jamais dessoûler

J'ai croisé le petit garçon une autre nuit
La terre a porté ses fruits dans ses yeux vieillis
L'eau ce n'est plus que la flaque sous les pieds
Et la sirène se prend pour une déesse
Éternité piédestal
Mon rêve est cristal
Le monde se perpétue dans des miroirs inédits
Où il est toujours possible de se regarder mourir

La vitrine d'eau salée

Tous les chemins qui mènent à la mer sont faits d'eau de mer
L'avant-goût du paradis est mis en bouteille
Pour les touristes d'amertume
Laissez-moi pleurer toutes les larmes de mon corps
Sur ces chemins de croix aux hommes de pierre
Je poursuis quelque chose qui n'existe qu'en moi-même
Que le ciel entrevoit du haut du saint calvaire
Tous les chemins qui mènent à la mer détournent les embruns
Il y a des jours où l'on se perd en allant tout droit
Et par moments la vie est basse et seule
Le niveau de la mer ne cesse de baisser
Comme la beauté qui naît du passé
Quelque chose en moi est prématurément vieilli
Les rides se creusent dans les terres de l'idéal
Cet idéal d'enfant frustré d'espace
Le jeu est le même sur la terre comme au ciel
Et cet avant-goût que nous avons dans les yeux dans le corps
En voyant se détacher les minutes d'exception
Nous rappelle comme un écho une richesse oubliée

Enfouie dans la nuit des temps
Le jeu vaut la chandelle
Encore faut-il avoir le feu pour s'éclairer
Tous les chemins sur lesquels j'avance sont faits d'eau de mer
Comme des instances profondes qui remontent à la surface
Chaque fois que l'amertume me prend
Il m'est arrivé ce soir de perdre l'évidence
D'être désorientée par tant de vide
Pardon de douter de mes chemins d'idéal
Mais il y a des jours où l'on voudrait être loin
Loin de soi ce soi pré-fabriqué pour les autres

Le fil continu

Seule
Quand la marée haute surprend les navires

Seule
Quand l'eau déborde tout à fait sciemment

Seule et pourtant
Entourée de tant d'autres solitudes

Il suffit d'observer et de surprendre les ombres
Qui s'annoncent et se crient sur les places publiques
C'est la dernière fois que je caresse ces rêves pauvres
Solitude la plus noble des vertus et la plus pervertie
Solitude pudeur démystifiée

Point de repère dans la nuit
Seul le phare rappelle la terre

Point de repère dans la vie
Seule la solitude est contagieuse

Il y en a déjà plein dans ce que je regarde
Une femme penchée par la fenêtre du destin
L'enfant à venir à surprendre
Dans ses cheveux envolés
Et tout cet idéal d'eau de rose
Dont on fait un parfum détestable

Cette vie trop bien rangée pour aboutir dans une jolie boîte
Destin d'amour sans trop d'innocence
Je te libère et tu me fais rire trop fort

Oui j'ai bien dit une jolie boîte
Comme celle où l'on conserve de vieilles lettres d'amour
Qui ont les poings liés et les pensées sèches
Je ne veux pas être une des fleurs de l'herbier

La solitude c'est la répétition cent mille fois déroulée
Joli passé bien ratissé jardin entretenu
La solitude sans défaut de répartition
On dirait un rêve d'un ennui mortel
Seule je m'amuse à deviner
Ce qu'il y a d'imprévu dans la vie

Seule et consciente de ce qui échappe aux autres
De ce qui les regarde bien en face sans qu'ils s'en aperçoivent
Et c'est comme cela que certains hommes avancent
Le sourire haut comme Icare face au soleil

Quand il est seul l'homme se regarde et se perd
Ou il croit se trouver
Ce qui est sans doute une grosse ânerie

En tuant le temps le feu naît dans les mains
En tuant le temps parfois un regard s'égare
Dans les saintes écritures dans les forêts profondes

Ne joue pas avec le destin mais ne le quitte jamais des yeux
Il peut te mener en bateau comme il le veut
Et en plus il adore cela te dévier sans cesse

La solitude n'a pas de prix dans les cités interdites
Comme la vie n'a pas de prix lorsqu'on la surprend à vivre
    d'elle-même
Être seul sans s'en apercevoir
Sans que cela ne soit jamais une souffrance atroce
Seule et recueillie au bord des minutes qui s'écoulent
Et que tu peux modeler à loisir
Étrange pâte d'éclats de brisures

Seule il m'arrive de prier pour qu'après
La solitude sale n'existe pas comme elle survit sur terre
C'est bien connu qu'on n'a pas le droit de pourrir
C'est bien connu que cela ne se fait pas
Mais pourtant cela existe
Et c'est bien cela le mal

Dans tous les charmes du soleil levant sur les bidonvilles
Charmes incongrus et odieux

Même le soleil cela il ne peut l'embellir
Il ne peut que cracher dessus à son tour et se faire éternel

Au delà il y a la solitude heureuse
Celle des chapelles silencieuses où tout geste est inné
Celle des repos des esprits où tout se conquiert
Celle des moments où tout est sourire et nécessité

Je m'avance vers les plus subtiles clartés
Celles où je devine que l'homme peut être heureux
Avec lui-même
Seul avec une main derrière le dos
Pour cacher un secret un baiser un ciel
Et les blés autour comme de beaux cheveux amoureux
Les villes peuplées et repeuplées sans cesse
Comme des trompe-l'œil anonymes
Solitude enivrée qui bat la campagne
Et qui a l'impression de se faire des ailes avec des chaînes

Mais solitude heureuse tout de même

Solitude pour peindre c'est-à-dire dévoiler des femmes nues
Solitude pour sculpter et récupérer la terre perdue
Solitude pour écrire de la musique et se vider d'infini
Solitude pour rêver c'est-à-dire se dire que l'on ne reviendra
    plus
Tout en sachant très bien que c'est faux

Solitude adorable mensonge avidité triomphante
Solitude pour aimer et changer de peau

Pour aimer ne jamais cesser d'aimer
Pour se renaître une fois pour toutes

Solitude au sillon riche et doux
Je tourne dans les champs emportant le vent avec moi
Je n'ai pas vu l'oiseau succomber de trop de liberté
Quelle belle mort quel luxe à se payer

Et puis ma solitude pour écrire c'est-à-dire savoir
Savoir que tout est reconnaissance
Pour se faire à soi un sacré cinéma
Pour savourer les lignes inédites que l'on lance à la vie
Comme des cerfs volants

Ailleurs peut-être d'autres solitudes méconnues
Comme celle de Dieu envers les hommes
La solitude des morts prématurées et de la douleur ouverte
La solitude de ceux qui ont poings et mains liés
Impuissance maudite et détestable

Sans compter toutes les solitudes inavouables
C'est la fête foraine pour le monde entier
Il faut payer pour se souvenir que l'on s'est amusé
À des jeux idiots à se tourner autour
La fausse joie et les faux yeux des petitesses amusées
Et parfois aussi des lucidités autour

Il reste une lampe allumée éternelle
Comme une personne douce que l'on aime

Et qui vous prend dans ses bras sans questions
Les promesses éveillées de l'imagination
Mère de tous les enfants nés pour disparaître
La belle solitude des mondes imaginés
Feu à volonté sur les promesses inachevées
Sur les carences d'esprit et de moralité
Sur les fautes de vie inattendues et récupérées
Comme des fêtes de charité

Le cierge du monde
C'est l'imagination qui veille la nuit
Car la réalité a sombré dans un certain dégoût d'elle-même
Et quand elle fait un effort pour tromper le sort
Quand de la terre naissent des trésors de beauté
Elle comprend que la solitude a enfermé les gens chez eux
À double tour avec de fausses clés

Et ma foi les vaches seront bien gardées

Le gardien de nuit

À ma famille.
À mon Tonio en particulier car ce poème lui est
destiné.
Personne au monde n'avait encore donné sa nuit
pour moi.
Personne n'avait reconnu en moi le silence.
Personne ne mérite plus que ceux qui ont donné
simplement ce qu'il me manquait.
Tonio, je te promets de veiller sur les oiseaux qui
ont ton esprit comme un frisson au bout des ailes.
Ils volent au-dessus d'une mer infinie.

Un enfant recroquevillé à la dérive
Et quelqu'un au pied de la porte à le veiller
Lueur de la plus belle de toutes les lumières
Minute de la plus lasse de toutes les attentes
Entre eux un amour et peut-être quelque chose comme l'éternité
Cette éternité totale qui porte la douleur
Et qui n'a que le silence pour s'enliser de promesses
Tout est passé fini tout a rejoint la nuit
Comme un rêve infidèle et fautif
Seulement il reste un amour qui grandit

Un amour qui est déjà plus que ce qu'il désigne
Une porte entre eux deux le pont des soupirs
Mais aussi la vie qui part sans mot dire
La vie sans maudire
Même pas une petite fois

L'enfant est loin si loin qu'il n'a plus peur du retour
Il est dans une jolie boîte il ne voit rien autour
Ou du moins il ne désire rien voir
Seuls l'amour la fidélité s'imposent
Ce sont les principaux sous-entendus que l'on garde
Car il est des choses que l'on dit trop belles pour être vraies
Vraies comme la solidarité le don de soi
Comme toutes ces unions du cœur qui ramènent l'homme
À ce qu'il y a de meilleur et de plus inavouable en lui
J'appelle cela l'intensité et c'est quelque chose que l'on ne peut
    oublier

Cette nuit j'étais ailleurs mais tu étais là pour moi
J'aurais bien pu ne jamais le savoir
Mais maintenant je me souviens de ta présence

Souffle chaud contre mes songes vides
Tu étais recueilli en moi et j'aurais tant voulu te le dire
Je ne sais pas ce que sera ma vie
Je ne sais pas réellement vers quoi j'avance
Mais ce soir en particulier une évidence surgit de mon passé
C'est que l'on ne remplace pas l'attente
C'est que tout ce que l'on donne sans rien attendre en retour

A des répercussions dans l'existence des ondes d'abondance
Je n'ai jamais reçu plus que cette nuit-là
Je n'ai jamais été autant protégée
Car tu veillais sur moi assis dans le noir
Et que cela suffit pour faire d'une vie un merveilleux espoir
S'il faut partir en emportant l'essentiel
Il restera toujours mon amour avec moi
Cet amour que l'on m'a forgé de toutes pièces
Quand j'en avais tant besoin
Cet amour qui m'a soutenue et qui m'a dit reviens

Je reviendrai à mon tour veiller sur toi
Et allumer les minutes de patience et d'oubli
Oui oublier que dehors l'on n'a pas sa place
Et que dedans il fait parfois si froid
Je reviendrai sur cette nuit-là où tu prenais le repos en moi
Où tu me cherchais pour que je te tienne compagnie
Où tu me cherchais pour ne plus te trouver seul
Au bord des chemins où partent les trains les adieux les
    sommeils
Et les grands yeux tristes
Je reviendrai pour te ramener et te dire tout bas
Que l'amour n'a que la force du silence
Et d'une infime présence portée au fond du vide
L'amour est un mot usé et banal
Parce qu'on en a fait de tout et c'est dommage
Mais il reste encore la substance au bord du chemin
Où la vie se succède à elle-même avec la hantise du lendemain

L'amour je veux que cela soit dans ma vie
Tous les instants où j'ai partagé ma force
Tous les instants où l'on a vécu pour moi à ma place
Tous les instants où juste une présence suffit
Où juste le silence est l'unique prière
Où l'on porte l'enfant qui s'est endormi dans ses bras
Où l'on prie pour que son sommeil aille plus loin que les
    oiseaux

Le sillage du soir venu

Et si un jour je me dois de partir
De refermer les portes derrière toi
Pour ne plus m'apercevoir que je t'aime
Et si un jour il fallait que je m'en retourne
Que je doive quitter tes doigts qui me parlent
Pour ne plus me déguiser de ton visage
Si un lendemain ou une veille tu me perds
À tant de murmures que répondre ?
À tant de lueurs dans tes yeux
Ma bouche pendue à ton cou perdue à ton corps
À tant de lueurs ardeurs
Oublions les réponses et pardonne-moi
Pardonne-moi mon amour
De m'appartenir de toi dans toi
Avant de refermer le verrou et de m'enfuir
J'embrasserai ton regard tes cils longs et recourbés
Je me donnerai au sommeil dans tes bras
Dans tes bras pour un dernier refuge
Une ultime promesse que tu ne tiendras pas

J'emporterai le secret le vertige de ce que tu me disais
Lentement et tout bas
Sans doute de nous deux c'est moi qui aime le plus fort
Mais il faut partir avant
Avant qu'il ne soit trop tard dans le cœur de tes bras
Avant que tu ne m'oublies dans l'horizon du soir
Avant que tu n'aies l'illusion de me posséder entièrement
Car vois-tu je suis tout comme le vent
Tout comme le vent qui caressera ton visage
Pour toujours
Et qui portera en lui la saveur de ta peau
Où j'ai vu mon empreinte mon image
Une nuit ou peut-être toute la vie

Démon de mon cœur

C'est toujours la même chanson crois-moi
L'on se passionne à se surprendre dans les ombres
Des nuages qui passent au-dessus de la lumière
Au-dessus de tes yeux violets
Où se promenaient des fleurs vagabondes
L'on s'amuse à se projeter hors de soi-même
Pour abolir l'espace d'une seconde
Pour oublier la formule vitale d'un corps entre ses mains
Moi aussi j'aime me cacher dans les ultra-violets
Dans les photographies montées du ciel
Dans les parfaites mélodies de la lumière
Je me souviens des coins de paradis en fête
Il me plaisait de disparaître dans les herbes folles
Herbes portes grimpantes au-dessus des beaux rêves
Et quand je m'écorche les genoux à trop vouloir gravir
Le sang qui coule est un bien joli ruisseau pour ma forêt

Sur le lac glisse une amie que j'aime
Et qui n'arrête pas de me regarder en partant

En partant des yeux lorsque l'âme demeure
Le corps acheminé trop tôt vers la fin de l'amour
Je te garde en mon cœur au-dessus du jour
Et l'aube qui pointe à l'horizon
Ce n'est pas joli de montrer du doigt
Ce n'est pas mourir que de s'exténuer à vivre
Pour toi qui es partie avant de comprendre
S'exténuer à vivre
Comme la folie qui se persuade d'elle-même
La vie est moche et elle dit : un point c'est tout
Un point c'est tout sur l'avenir qui dément
Démon de mon cœur qui ne peut rien contre toi
Contre un malheureux point final
Je te cherche dans les arbres dans les rumeurs d'ombre
Et tu me regardes tout bas
Alors je m'enfonce dans mes rêves aux yeux violets
Et je parcours ce qu'il faut écrire
Pour continuer ta vie des regards éperdus

La prière d'un soir

Un bruissement d'ailes comme l'envol d'un ange
Et tes pas qui s'en vont qui dessinent la vie
Ton mouvement qui m'anime puis qui disparaît
Il y a dans l'air l'odeur de ton parfum
Comme la mer lente et véritable s'allonge sur la plage
Je porte un ange en mon âme
C'est un fardeau d'exigences innocentes
Qui touche mon front et me bénit
Puis la nuit ensevelit son sillage
Et il monte aux étoiles avec la douceur de l'oubli
Parfois il m'effleure sans me rencontrer
Nous avançons tous deux dans le même couloir
Sur le même vaste décor d'absolu
Où l'on ne croise que soi-même
Dans un miroir opaque nous nous observons sans fin
Et aucun de nous deux n'ose bouger
De peur de surprendre l'autre
Statues de sel figées par l'impatience
Sel qui pique la vie et qui se souvient de la mer

Comme un enfant à qui l'on confisque le voilier
Qui emportait son esprit bel oiseau blanc
Il y a dans les murmures des souvenirs d'enfance
Des prières que je récitais le soir pour mon ange
Gardien de mes rêves de mon sommeil
Ne me réveille jamais de mon insouciance
Car cela me serait fatal
Mes yeux ont pris l'eau
Mon âme se perd dans l'importance
Un bruissement d'ailes comme l'envol d'un ange
Et tes pas qui s'en vont et qui laissent derrière eux
Une présence infinie et rassurante
J'incline la tête dans le miroir trouble
Et mes yeux s'effacent sur ton ombre
Et mes yeux te ressemblent un peu
Lorsque j'avance seule dans ta nuit
Marche unique Marche de ton absence

Je ne crains pas d'écrire. Il m'arrive seulement de redouter ce que j'écris et ce que je perçois. Personne ne devinera jamais combien la vie me fait peur, combien je lui échappe aussi. Quand j'écris, je me sens fortifiée et comme très éloignée de ma propre inquiétude. Non, je refuse que l'on associe mes pensées à quelque angoisse existentielle : ce n'est pas cela exactement. Je veux bien laisser ce grand mot aux autres, s'ils le comprennent. La vie, je le sais, est plus forte que tout et je me fais à son image. Dure et secrète est mon âme. Mais toute force est limitée par elle-même et la vie, dans ce combat singulier, est toujours victorieuse. Et elle avance au-devant de moi.

Non, je ne crains pas d'écrire car là est toute ma vie, car là est mon bonheur et ma douleur parfois. Mais lorsqu'il m'arrive de frôler ces visages de l'existence que peu de gens connaissent ou réalisent, je me rends compte que ce n'est pas moi qui suis forte : ce sont mes mots. C'est tout ce que j'ai pour vivre intensément, c'est-à-dire plus vrai, plus fort que ce que le destin me réserve. Je suis déjà réservée aux voyages les plus fous car je suis née pour me surpasser moi-même, car je suis née dans l'espoir de ne jamais mourir les mains vides.

Ne voyez surtout rien de prétentieux dans l'expression « mes mots » : je n'ai bien sûr rien inventé du tout, rien ajouté à ce que notre langue a de magie et de beauté. Je ne fais que de la surenchère, c'est tout. Je n'ai pas non plus la prétention d'innover en quelque domaine que ce soit ; ce n'est pas à moi qu'il incombe d'en juger. D'autant plus que je déteste la critique (une certaine critique) dont pourtant personne ne saurait se passer. Nous mettrons donc cela sur le compte de mon orgueil personnel et sur le fait que je ne me suis jamais encore occupée de la postérité. Peut-être un jour reviendrai-je sur ces paroles mais pour l'instant, seul un but m'intéresse et les moyens pour y parvenir.

Il n'est pas vrai que je sais encore où je vais aboutir mais c'est déjà énorme que d'avoir conscience d'un achèvement, et d'y travailler pour surtout ne pas le bâcler. Je n'aime pas le travail mal fait mais j'ai encore plus en horreur le travail inachevé. Oh, je sais que je vais me rendre odieuse par ces propos mais, qu'y puis-je puisque c'est ainsi que « je me ressemble ». Cependant, je reconnais n'avoir jamais travaillé en écrivant. Le jour où ma poésie deviendra un travail en elle-même, elle ne sera plus et le mur se refermera sur moi.

De moi, si vous en êtes arrivé à ce point-là du Livre noir, vous savez à ce jour presque tout. Deux solutions vous sont offertes : soit vous me croyez folle et géniale (ce qui s'accorde à merveille en vérité), soit vous vous accordez à juger une relecture favorable à la compréhension approfondie des méandres de mon esprit, etc. etc. etc… Dans les deux cas, je ne m'en tire pas trop mal et vous pas bien du tout. Entendons-nous bien : à vrai dire, je suis la cause directe d'une bonne dizaine d'insomnies en tout genre, d'un nombre indéterminé à ce jour de migraines et d'une profusion indigeste de crises de larmes et d'émotions diverses. Non contente de cet exploit, j'ai même poussé le vice jusqu'à provoquer de graves remises en question chez mes lecteurs dont je ne désire pas révéler l'analyse. Tout cela très innocemment je le jure. C'est une véritable hécatombe. Voilà, vous savez maintenant cela en plus, et je referme le portrait abrégé de mes talents divers et variés. Mais revenons-en à ce livre, quelques précisions s'imposent.

Ma dédicace (cf. première page) ne doit pas vous surprendre : le plus grisant pour celui qui l'écrit, c'est ce qu'il n'a pas dit et ce qu'il a tout fait pour laisser deviner. Le non-dit n'est absolument pas un oubli ou une esquive : c'est un avant-goût de l'idéal et de la perfection, une terre sacrée entre vous et moi. Le non-dit, c'est comme la pudeur totale ; je reconnais que très peu de mots pudiques, de mots sublimes qui ont des sentiments et des approches graciles. Et pourtant, tant de mots se cachent d'eux-mêmes.

La couleur du non-dit, c'est le noir : la seule couleur infinie (donc ce n'est pas seulement une couleur, donc c'est déjà plus qu'une couleur), la seule que je porte en moi pour toujours car elle me ressemble. Je n'assimile pas le noir au deuil ou le noir à la tristesse parce que le deuil et la tristesse ne se portent qu'au-dedans de soi et ne sont pas suggérés par cela. Le noir, c'est vivant, profond et dense : ce sont des yeux fermés sur un trésor inavouable ; ce sont des mains qui tâtonnent et qui ont parfois du mal à reconnaître ce qu'elles touchent. C'est aussi le jeu éternel des contrastes : il met en valeur ou anéantit à jamais ce qui l'entoure. Le noir a résolument un don de lucidité extrême car il possède mes yeux et la nuit pleine pour battre, et s'amplifier avec démesure, car il possède à présent ce livre… et tout ce que ma vie a fait de moi pour qu'il prenne corps et âme.

Quant à ceux que je porte en moi, ce sont les gens que j'aime, à qui je dois mon ivresse et ma chance, à qui je dois d'être ce que je suis. Je leur dois mon équilibre et une part de ma raison de vivre. Enlevez-moi l'amour que je leur porte et ôtez de moi le besoin d'écrire et je ne serais plus rien. Plus rien de très enviable en tous cas. Il me resterait peut-être ma soif d'apprendre et de découvrir mais, cela n'aurait alors plus aucun sens. Pour ceux que j'aime, de qui je reçois ma force, je donnerais tout… et le reste. Car outre l'exigence qui m'habite et qui me condamne à la désillusion, je suis faite d'excessivité et d'abondance.

Je ne sais pas exactement si ceux qui me lisent et me liront, comprennent mes poèmes comme je les comprends mais, là n'est pas la question : je souhaite juste qu'ils y apprennent à deviner et qu'ils aient par la suite envie de s'échapper aussi… pour l'unique et simple plaisir d'appartenir à son esprit.

La réalité que j'évoque n'est pas déformée : elle est juste contournée parce que je ne sais pas faire autrement et aussi, parce que j'aime aiguiser les formes. J'ai un besoin vital de poésie et la réalité m'épuise à s'en démunir sottement. Quand je dis réalité, je parle du concret, de la vie et je ne sais pas pourquoi d'une certaine forme de laideur, parfois tout de même de création et de beauté. Je sais que l'on me jugera très abstraite, très vague, peut-être même très manichéenne dans la confrontation qu'il existe chez moi entre la réalité et les fruits de l'imagination. C'est un sujet que je ne développerai pas pour cette raison et aussi parce que c'est une idée encore enfantine qui n'est pas venue à maturité. Moi-même, j'ai du mal à me l'expliquer.

J'ai adoré Céline car il est cru, car la laideur humaine est confrontée à elle-même et rendue supérieure… supérieurement belle. J'ai adoré Céline car je n'ai pas pu le détester comme je l'aurais voulu. Quelque chose m'a marquée : c'est cette obsession de la mort, cette marche, cet apprentissage et ce désespoir éternel car, où que l'on échappe, une évidence seule subsiste. C'est que l'on va mourir et se faire manger par les vers, ronger par la vermine sous terre. La mort est là ; c'est l'unique amour parfait. Cela, je l'ai trouvé dans Belle du Seigneur (d'Albert Cohen), je veux parler du coup des vers.

C'est étonnant tout de même que tout passe par la mort toujours et que tout y appelle son visage. Moi-même, j'écris beaucoup sur la mort car elle n'arrête pas de m'appeler et que j'ai bien plus peur de la vie. Mourir à moitié, cela me paraît difficile (bien qu'en matière d'innovation, on ne sait jamais avec moi) mais, vivre à moitié, c'est une bien solide tentation. Vivre bien et fort, cela demande de se livrer corps et âme, cela exige du courage et de la ténacité.

Deux petites remarques encore avant de sombrer dans l'épuisement. La première, c'est au sujet de la ponctuation : je m'excuse mille fois pour un tel laxisme. Décidément, rien ne vous simplifiera la tâche. Enfin, bon, j'ai préféré l'abandonner entièrement dans mes poèmes car, pour être honnête, je n'y arrivais pas moi-même. Je dois noter que, à ma grande défaveur, à ma grande honte aussi, je n'y ai jamais porté mon intérêt. D'autre part, mes poèmes qui possèdent de tout sauf des vers (je ne parle pas des mêmes que tout à l'heure !) sont assez dangereux à lire à haute voix. Or, il n'y a que ce qui a été très bien conçu qui se récite avec art. J'ose humblement espérer qu'on saura lire mes pages avec autant d'art, si ce n'est plus… dans l'espoir de rattraper ce qu'il manque d'ordre et d'agencement en elles. Mais encore une fois, il ne s'agit pas ici d'une justification. C'est une chose dont la poésie n'a que faire, puisqu'elle est déjà tout pour elle-même.

La seconde remarque, c'est à propos du retour fréquent et même parfois obsessionnel de plusieurs éléments : tels que les mains, les yeux, l'eau et les oiseaux. Je pourrais m'expliquer là-dessus mais en tous cas pas cette nuit, car j'ai trop mal au poignet à force d'écrire. Quelques indices : j'aime chez les hommes leurs mains et leurs yeux. C'est aussi l'absolu des sens, ce qu'ils dévoilent mais surtout, tout ce qu'ils rendent inaccessible ou trop lointain. Et puis dans les mains d'homme, j'aime trouver une fragilité d'enfant. J'adore l'eau pour m'y noyer mais juste ce qu'il faut entre la terre et le ciel. La mer, c'est aussi l'infini et le voyage, l'espace immatériel ; l'eau s'adapte à toutes les formes de mon esprit. Quant aux oiseaux, c'est l'ivresse et l'aptitude de mon imagination. Et puis, un oiseau, c'est aussi la colombe de la paix ou Jonathan Livingston le goéland. C'est l'apprentissage de la servitude, l'image d'un oiseau en cage.

J'ai encore beaucoup de choses à dire là-dessus mais il n'est pas dans mes intentions d'approfondir ce qui trouve sa force ailleurs. J'oubliais que ce soir, j'avais le dessein d'écrire cette phrase pour moi seule et pour une peur qui refroidit mes rêves : Mon Dieu, faites que je ne perde jamais mes cheveux !

Je me demande ce qu'il faut bien donner à cette page blanche
Ou plutôt ce qu'il faut lui rendre pour atteindre la pureté véri-
table
La pureté véritable qui dépasse toute vertu
Et que l'on ne poursuit qu'en rêvant de perfection
De quoi dois-je démunir cette feuille ?
De quoi dois-je l'augmenter ?
Quelle est la véritable transfiguration que l'artiste recherche ?
L'idéalisme, c'est tout simplement la vérité, la liberté dans
l'état présent.
Et cet état est hors d'atteinte.

À Xavier

Je vis dans les merveilleux nuages que Baudelaire a fabriqués pour moi.

Les nuits battues d'opium où j'emporte son miroir sous mon bras, il est rare que je ne songe pas à lui.

Lumière impalpable et affranchie. Lumière consumée par l'éternelle douleur de vos yeux perdus dans l'existence.

Ailleurs peut-être. Ailleurs, là où la vie ne suffit plus. Nous nous rencontrerons au détour d'une rue sombre.

Vous serez poète, les cheveux au vent ; je serai votre ombre. Nous marcherons vers la reconnaissance, suivis de près par un cygne sublime et son amère vengeance.

À une grille, nous attendra l'étranger vêtu de noir, portant le deuil des nuages. Vous êtes mort, Baudelaire, et je ne m'en suis pas aperçue. C'était une nécessité sans doute, la frontière inaltérable.

De l'autre côté, votre liberté souveraine et douloureuse plus lointaine déjà que la tentation du gouffre. Puis votre marche qui n'en finit pas dans ma tête.

De l'autre côté, peut-être me regardez-vous passer.

Tout est beau au-delà des nuages. Triste est ma voix : je ne sais plus, je suis lasse. Lasse d'habiter ailleurs, aussi bas que terre.

Vous avez des fleurs dans votre jardin bleu et votre esprit a des mots qui n'ont rien à envier à la vraie beauté. Celle qui ne se trouve qu'une fois, dans une sorte d'accomplissement éphémère. Celle qui ressemble à la femme qui part avant d'avoir aimé. Baudelaire, étrange disparu qui rôdez la nuit, vous avez tout du génie. Et vous n'avez pu qu'aimer mourir à la folie. Je vous comprends, je vous pardonne.

Quand je relis ce que vous avez écrit, je me dis que nous étions faits pour nous rencontrer. Mais la nuit est ailleurs et certains mots remplacent l'attente.

Dieu sait pourquoi, je suis libre de vous suivre et de faire semblant de vous survivre. Seulement, je ne vous arrive même pas à la cheville. Excusez l'ironie du paraître. Tout est destiné à disparaître.

Et la beauté du ciel chavire en moi et me rend ivre.

Ivre à jamais pour que le miroir qui passe ne recueille que l'essentiel.

Je me souviendrai de vous, étrange prisonnier, et des nuages autour, garants de votre liberté.

Il y a comme un désenchantement dans l'air, un cri humain et vital.

Vous avez déjà tout écrit, à quelque chose près ; à quoi sert de reprendre. Je réfléchis longtemps.

Les nuages passent et emportent avec eux l'image de votre miroir brisé par l'insuffisance, glace tombée dans l'escalier comme un rêve de suicide. Miroir percuté par le désir de « la vie en beau ».

Laissez-moi juste m'endormir dans vos rêves. Telle est ma destinée.

Et quand je me réveillerai, je pourrai écrire, écrire, écrire tout ce qu'il faut atteindre de soi dans ce qu'il reste d'Idéal.

Et quand je me lèverai de mon trop court repos, je me souviendrai de vous, Baudelaire, qui m'avez appris à m'évader sans en avoir l'air, qui m'avez donné l'envie de regarder et de créer avec mes mains fatiguées. Déjà épuisées par la vie.

Et je marcherai à vos côtés, sans attendre rien d'autre qu'une voix inscrite dans de merveilleux nuages.

*

Le rouge est la couleur du sang et du vin

Celle des mosaïques bleues qui se délient dans la mer aux poissons rouges.

Le soleil est rouge et incandescent lorsque tu apparais.

Inutile de poursuivre : la terre aussi est rouge et les fruits, on peut les boire sur le sol.

Quand tu me brûles il n'y a que du rouge.

Rouge comme la chaleur et les petits chats noyés.

Ce n'est pas parce que ce livre est noir que je ne peux pas signer en rouge.

*

LE LIVRE NOIR

de septembre 1988 à février 1989

À Xavier

Les pentes douces

Reflet absent
C'est le miroir qui t'absorbe
Et qui te dévisage sans fin
Regard de l'homme sur tes pentes douces
Et le miroir infini et tiède
De son ombre sur la tienne
Reflet absent dévitalisé
C'est de l'autre côté que ton sourire l'émeut
Homme enfant dans tes bras d'amour

Reflet absent
Il faut combler le vide d'apparition
Et retenir l'infini
Tu regardes défiler les murs de la pièce
Qui tournent amusés du manège
Et ta vie arpente le miroir
Femme impatiente aux attentes douces
Aux rêves cristallisés
Tu te vois équilibriste sur son fil

Dans un ciel bleu et étrange
Comme deux yeux trop grands
Et puis tu marches sans crainte sur le fil
Tu souris aux enfants qui passent

Le miroir est tendre et candide
Il le faut mon amour
Raconte-moi ta vie dans les fleurs blanches

Te voilà dans la rue à attendre
À chercher le reflet perdu
Tu lances des pièces d'argent
Dans le chapeau troué d'un mendiant
Et cela fait comme une pluie éphémère
Sur le trottoir
Où viennent se perdre parfois
Les oiseaux descendus du ciel
Moi je serais restée là-haut
Sur mon fil d'équilibriste
Oh non pas cela
Soudain le vertige
Et le trottoir qui pleure

De nouveau dans la pièce
Étrangère à tes amours
Tu danses dans le tournoiement des murs

Tu te revois l'aimant
Oh déjà si loin de l'infini
Si loin et comme à portée de main

Reflet absent
C'est le miroir qui tue les temps morts
Et tu te retrouves à ses pieds
Femme éloignée de toi-même
Cristallisée dans des reflets tranchants

Puis épuisée d'espérer de tout ton cœur
Tu te retournes vers lui
Homme enfant à t'attendre au bord des rêves

Et le miracle qui s'accomplit
Le reflet du miroir qui revient
Et tu te retrouves à l'ombre de son regard
Sous une pluie d'argent

Le miroir s'éternise
Et veille à tes yeux
Si pleins d'éphémère
Qu'ils sont déjà presque envolés

Dehors la vie toute simple
Tendue de nuit mystérieuse
Peuplée de manques et de besoins
Rassurée par les battements de son cœur
Réglés comme une pendule

La vie toute simple
Qui n'a jamais vu

Le ciel descendre dans la rue
Qui n'a jamais retenu son souffle
En voyant les miroirs tendus du ciel
À portée de la main

Douceur de nuit

Faire le vide
Se retenir d'espérer
Oublier son regard
Deviner l'emprise du silence
Sur soi-même

Revenir au bord du chemin où je t'ai laissé
Pour imaginer la suite qui n'est pas venue
Qui a oublié de venir sans doute
Le passé est un sourire
Incrusté quelque part
Pourtant humain et palpable
Le passé qui se remémore l'avenir
Est si pleinement enfantin lorsqu'il commande un rêve

Revenir sur un rêve
Que la vie a empêché d'éclore
Par nécessité
Revenir sur un manque d'enthousiasme

Sur des larmes impatientes au bord des yeux
Pourquoi ne pas laisser jaillir la lumière ?
Cette lumière qui gît inanimée
Mais qui luit quoi qu'il arrive

Rechercher une intensité d'existence
Dans ce qu'il y a de plus dénudé
Comme par défi
Mais toujours rechercher le dépassement
Comme pour simuler la vertu
Et puis ranimer un rêve s'il s'est endormi

Dans les rêves je suis libre de revenir
Ou de me prolonger vers l'avenir
Avec le défaut d'innocence de ce qui n'aura pas lieu
Tant mieux sans doute
Car c'est un peu mentir

Faire le vide
Dans l'attente de la reconnaissance
Oublier la nuit pour l'étoiler
Et ne plus voir que des étoiles
Partout où l'on avance
Sur des chemins de beauté
Où l'on se poursuit soi-même

Où l'on se poursuit
Comme un voleur
Un voleur de regards intenses
Pour essayer de reconquérir le tien

Parfois je te vois seul
Avançant sur cette route de terre
Vers tout ce que je devine
Lorsque tu fermes mes yeux
Lassés
Je ne peux pas m'empêcher de te rêver à deux fois
De bien vérifier la force de ton silence
De tes yeux de lumière

Faire le vide sans doute
Mais pour mieux vivre ton temps parallèle
Qui bat à mes tempes
Comme une autre vie

La mort du ciel

(Si j'ai choisi ce titre, c'est bien pour qu'il ne meure jamais. Il y aura toujours un homme pour s'interroger encore et pour y porter sa vie et sa gloire d'âme libre.)

Paupières closes
Confondues dans le tissu des rêves
Pupilles refermées distillées par le ciel même
Et tout cet unisson de prières
Qui tournent l'âme vers son propre soleil

J'aspire à un horizon nouveau et clair
Je le vois entre mes mains
Je le devine comme si en s'émanant de moi
Il m'absorbait tout entière
Oui je l'attends
Et je voudrais avoir des mains d'artiste
Pour sculpter la terre
Pour donner forme à la lumière intense

Changez-moi ce ciel de trahison
Avant que ma prière ne s'éteigne
Changez-moi ce que l'azur porte d'orages
Au sein des lèvres humaines

Je veux un ciel transparent généreux
Un ciel apte à redonner foi et courage

Si l'homme n'aperçoit au-dessus de sa tête
Que sa propre impuissance à surmonter le mal
Sa propre tentation d'éphémère
Si l'homme n'y conçoit que sa peur
Ou pire encore ne sait pas se tourner vers lui
C'est la mort de mes ailes

Changez-moi ce ciel avant qu'il ne se perde
Avant qu'il ne rejoigne la terre
Pour dissimuler sa similitude de reflet changeant
Enlevez-le de ma vue si l'homme l'a conquis
Je veux un horizon vierge et irréel
Quelque chose d'inconnu entre la beauté et l'absolu
Une mer vaste emportée par les vagues

Mais surtout je veux pouvoir me dire
Que là-haut il y a la garantie de ma vie
Le secret sauvegardé de la force qui emporte mes songes
Je voudrais un ciel concave pour m'y cacher dedans
Pour vous voir passer et vivre d'un manque de substance
Pour vous regarder et pouvoir m'expliquer
Ce qui a fait tout déraper

Vous voyez le seul problème dans tout cela
C'est que je suis victime de mon exigence
Et qu'un ciel amer et vide

Rempli des bassesses de ce monde
Je ne le conçois pas entre mes mains
Je prie sans savoir bien comment faire
Pour que l'azur aille poindre ailleurs
Les faux reflets de la terre

Aucune chance sans doute de refaire le monde
Peu de chances de rendre l'homme meilleur
Heureusement qu'il y a un ciel égal à tous les hommes
Un ciel pour y conjuguer ses désirs ses rêves les plus fous
Pour y déposer la foi quelle qu'elle soit
Pour y ranimer à jamais l'amour et le désir
Enfin pour s'y plonger et réaliser l'espace inassouvi

Oui changez-moi ce ciel indifférent
Pour qu'il s'ouvre à tous les enfants que j'aime
Afin que l'homme puisse regarder au-dessus de lui
Sans baisser les bras à l'affût de liberté
Le ciel cela peut être le plus simple des paradis

Celui que l'on attend comme du pain bénit
Comme la réponse à toutes les questions
Le remède à tous les maux

Le ciel il m'est apparu souvent
Comme éclaté et vulnérable
Car lorsqu'il touche terre il est déjà comme dénaturé
J'entre en sa possession chaque fois
Qu'une forme pure de la vie ou de l'Art

S'éloigne de sa propre réalité pour survoler
L'esprit comme un voile de richesse

Je suis riche de mes heures perdues
De mes phrases mille fois heurtées à elles-mêmes
Je suis riche de mes émerveillements
Et chaque jour je bénis Dieu d'avoir donné
La vertu de se dépasser et de créer l'impossible
Pour cerner ses contours
Avec la délicatesse des doigts amoureux
Exquise sensation que de pouvoir toucher cet au-delà
Aux émanations d'interdit

Non rien ne m'est interdit
Car je détiens le rêve
Entre mes mains pleines de ciel
Car j'ai conquis les oiseaux
Tout au-dessus de l'eau
Où je marche la nuit

Oui tout m'est offert
Tout est possédé de moi
Et le plafond de Chagall est plein d'ailes
De musique et de tentation
Et c'est un dôme du ciel humain
Comme une transcription magique
Et les yeux sont appelés
À se créer leur unique illusion

Le manteau fauve

La lumière est rousse et comme feutrée d'automne
Tu entraperçois une fenêtre frémissante
Ouverte sur une sorte de transparence bénéfique
Bénéfiques soient les heures où je t'appelle
Où toutes les fenêtres s'ouvrent sur le monde
Par superstition
Je reçois l'écho des feuilles et leur touche d'hiver
J'attends de répondre à un nouvel hiver
Et le temps fou s'arrête à la page
La neige coule le feu s'éveille
Les éléments se déchaînent
Et pourtant tout est si calme au-dedans
Je déteste les arbres qui se raréfient
J'enlace leurs troncs et leurs feuilles m'ensevelissent
Dans un manteau fauve
Tu viens et tu me prends les mains
Plus rien n'a alors d'importance
La fenêtre se raréfie
L'hiver se ramifie

La neige coule le feu s'éveille
Et je te crée de feu pour immoler le froid
Le froid à tes yeux à nos mains
Plus rien n'a d'importance
Laisse-moi t'apprendre le dénuement
Dénude l'étrange repentir
Pour faire venir l'automne
La lumière est rousse
Je suis les yeux fous qui t'appellent
Et les heures fauves se replient
Faute de réponse
Je suis les yeux du temps
De celui qui imagine l'hiver
Par superstition
Je foule du pied le bal des saisons
Les feuilles renversées
Pourquoi me regardes-tu comme cela ?

L'astre noir

À Baudelaire toujours,
à Jérôme Bosch.

Poète maudit
Je vois planer un vautour
Autour de l'astre noir et décharné
Un peu comme si elle avait toujours existé
La fin du monde
Couronne d'étoiles amères pour le poète
Mains d'homme ailé et fuyant
À la limite de l'impromptu
Poète pour s'empêcher de vivre
Par décence
Poète parce que le choix a fui
Comme un animal qui détale

Maudite lumière des champs vivants
Un astre noir médaillon intense
Posé en fleur sur l'existence
Fleur jamais renouvelée

Et dans le ciel le poète se ruine
Le ciel colère et orage
Sinon rien que l'oiseau
Et sur la terre le poète transparent
Se casse en dix milliards de morceaux
On a jamais vu autant de vitres de jour
Se briser par terre sans fracas

Une sensibilité est morte
C'est une feuille éternelle
Et personne n'a rien entendu

Poète maudit inconnu
Qui n'en finit pas de créer
D'exorciser le mal
Et c'est encore plus douloureux
Une bougie consumée
Le monde en fumée
En brume
La chambre ruinée et grandissante
Où l'on écoute le travail
Mûrir et tomber de l'arbre

Poète détruit du dehors
Qui ouvre grand la fenêtre
Pour vérifier si ce qu'il a écrit
Correspond sans mensonge
Il livre des vers au vent
Et se nourrit de soleil perdu

Il est l'étranger
Amoureux d'une étoile
Faite femme

Et il faut avant de partir
Creuser la sépulture de son œuvre
Pour être mort et ramifié
Il y a un arbre splendide
Où se balancent les angles fuyants
La perfection mise à nu
Sans jamais être déshonorée

Le poète maudit
Creusé de nuit
Couronné d'or noir
Et la vie après tout
Peut s'envoler en fumée
Les mots ne meurent jamais
Les images emprisonnent les yeux

Cela ira
Je n'ai pas peur du noir
Et puis il n'y a pas de vautours
Dans les étoiles

Sommeil en X

Et l'instant suffit
Au bord de l'écoute
Je l'entends dans les sources du plafond
Sans bruit aucun
Le soir s'assombrit
Et l'instant suffit
Il se dépose délicatement
Comme un mot dans la main
Replié de murmures
Et tes yeux se tapissent d'autre chose
Semblant de clair-obscur
Tu ressembles à un rêve
Que j'ai mal enfermé dans sa boîte
Dans sa boîte à musique d'hier
Tu t'échappes sans cesse
Et l'instant sourit
Je te devine assez bien
Quand tu dors refermé de moi
Puis je t'écoute lier ta vie

Filer les heures sans reproche
J'entends tes tempes ton front
Que je déguise de mes doigts
Pour les protéger sans que tu le saches
La nuit monte l'escalier
Et envahit toutes les sources du plafond
Tu restes entre mes bras
Simplement prêt à partir
Je te regarde entre mes mains
Entre les dunes de sable
Laissées par le vent
Les étoiles grimpent à la corde
Le long infini des murs qui ruissellent
Qui ruissellent ton nom
Les mots que je cherche doucement
Afin de ne pas t'éveiller
Il y a une étrange lune de miel ce soir
Dans le ciel rarissime
Plongé d'obscurité ambiante

Et l'instant s'endort
Ton souffle suffit à la pluie

Pareil au silence
D'une boîte à musique d'hier
Tu rêves entre mes bras
Comme un enfant isolé de mer

Isoler tes lèvres
Les fleurs nouvelles

Et tes grands yeux d'eau
Qui vont la nuit sur les toits
Cueillir d'autres fleurs
Promener les champs de nuit

Isoler tes regards
Les cacher sans malice
Lorsque tu baisses les yeux
Sur moi sur nous

Nous marchons les fleurs
Sans trop nous approcher des fenêtres
Vacantes d'espace

Et les toits remplis de pluie
Se vernissent de lune

Je n'ai jamais eu de souliers vernis
« L'amour est enfant de bohème »
Et je danse pieds nus

Ruisselantes les ardoises du ciel
Et toutes les fleurs nouvelles

Amène-moi dans ta bouche de pluie
Boire les lacs sucrés
Qui s'en vont dérisoires
Au-delà de mes cheveux

Nous nous noyons de fleurs
Grandissantes et vulnérables
Sur des murs rampants
Comme des astres

Tu m'envoles
Chaque jour davantage
Tu m'en voles
Par centaines de fois

C'est la danse aux fleurs
Au-dessus des toits navigués

Isoler tes gestes dans l'air
Pour te répéter lorsque tu manques
Au petit matin

La nuit pour te boire dérisoire
Et te donner la main d'écume
La nuit pour goûter tes repos
Comme des lassitudes papillon

Les papillons meurent des fleurs
C'est bien connu qu'ils en crèvent
À force de les regarder

Emmène-moi dans les ramures d'étoiles
Voir les bords de la lune
Et les chemins de terre oubliés
Envole-moi sans jamais t'arrêter

Je tourne dans tes bras
Je coule des fontaines
Dans les moments abandonnés

Les fleurs aux petits sourires
Qui plongent des fenêtres
Sur ton front enlacé
Font naître mes mains
Partout où tu me cherches

Moi je marche sur les toits
Parce que tu m'as dit que c'était plus joli
Et je te regarde vivre au miracle
Dépêcher la douceur de nuit
Au fil des choses

Mourir les étoiles papillon
Mourir les champs précieux
Les vagues vides
Mourir des instants cueillis et recueillis

Et la musique naît de nulle part
Sur les toits flottent les oiseaux
Comme des nuées d'heures suspendues

Toi tu gardes mes yeux
Au bord des fenêtres tentées
Toi tu regardes mes yeux
Même quand il pleut
Et que les fleurs vertes
Se suicident des balcons

Comme des valses d'anges

Envole-moi de tes bras
Voile-moi les regards de brume
Qui nagent à cache-cache

Les arbres dont je t'ai parlé
La musique que tu m'as donnée
Vivent ensemble depuis longtemps
Au bord de la mer de hasard

Mes yeux et les fleurs
Reposent sur le sable

Et il y a des images
D'ici jusqu'à toi
Que je t'envoie de mes mains

Pardonne-moi le silence
Les vagues passent à la nage
Tout autour de moi

Dépêche tes yeux de grandir

J'habite ton décor de nuit
Les souffles et les promesses éteintes
Qui refleurissent de ton cou
Tous les sentiments humains
Qui se font déraison
Et le vol des âges en fleur

Tu sais où je t'isole

Les fleurs nouvelles
Ourlées de pluie

Les fleurs
Cœur des moissons

Poisson bocal
Ciel étalage
Les yeux de notre amour
Enfant sur les toits

Au petit bonheur la chance

On s'entend
Sans se toucher du doigt
Infaillible
J'ai reconnu ton silence

Et le vent gémissant
Fait balancer la Tour Eiffel
Comme un navire qui tangue
Éperdu des yeux de l'eau

Et Paris ouvre ses fenêtres
Sur la vie en arrêt
Soûlée de vertige commun
L'eau perd toutes ses formes

Je ne sais ce qui me retient
Aux limites du ciel tremblant
Ta main peut-être
Ta main filée de mille regards

La nuit se pend à mon cou
Pour me prendre tout le jour
Comme l'on enlève un diamant
Au creux d'un cou ouvert

Les oiseaux de Paris
Infâmes de leurs yeux crevés
N'ont que faire des passants
Qui te cherchent à en pleurer

Fin du jour ombre dénudée

Comme cette femme blanche
Aux bras de pierre indigente
Qui a oublié sa rue son adresse
Pour venir dormir dans le lit de l'eau

Et le vent des cheveux
Qui balaie les feuilles d'arbre
Devant les portes fermées
Où toute nuit tombe d'un cou

Paris lumières de fête
Au désespoir des mains blêmes
Au creux des cieux torturés
Et des nuits somnifère

Ton sourire descend de mon front

Et la femme blanche
Aux regards d'acier blessé
A perdu le sommeil à force
De déposséder la nuit

La nuit à en mourir
Une fois pour toutes les autres
Et tes yeux se sont levés
Comme avant de tomber

Tu prends vent de moi
Et le temps qui te crie fou à lier
De courir derrière l'oiseau envolé
Se fout bien de tes mains d'enfant

Paris déplié comme un mouchoir
Où tombent des larmes vaincues
Comme des pierres diluées
Comme des mots hystériques sans valeur

Paris comme une nappe de restaurant
J'ai écrit ton nom sans savoir
Sans imaginer les jours de demain
Épanouir les fenêtres censurées

Un mot d'amour un seul
Face au petit jour

La fenêtre de la vieille
Fermée à jamais face aux créanciers
Qui réclament le sommeil de la mort
Pour isoler son lit creux d'amour

Creux d'espoir pour la vie
La fenêtre de la vieille est seule
Et les oiseaux la maudissent
Parce qu'elle brûle de soleils éperdus

La mort qui court effrénée
Comme une âme en peine
En peine de cordialité
Se heurte à toute vie qui fuit

La vie la mort ressemblantes
Coulent dans le même sens
L'amour aussi pour te regarder à l'arrêt
Manger la pauvreté de tes mains sublimes

Paris et ses jardins
Entrecroisés de paroles intenses
Ouvert à l'hiver
Mais qui rit de ses amours

Les rubans de printemps
Dans les gestes des petites filles
Qui font semblant de rêver en mesure
Avant d'ajouter au mystère des étoiles

Corde au cou corde à sauter

Et toute la danse des jours
Fériés de nocturne
Et toute la danse en tête
J'ai perdu la mienne à tant t'aimer

Sous le pont d'Apollinaire
La Seine chavire ange de ses ailes
Et les lumières d'eau forte
Transportent ton visage aiguisé par la pluie

Couteaux lames des rues
Le sang des maisons outragées
Où les regards meurent
Comme des plantes vertes gelées

Mes mains courent à tout rompre
Autour du dernier sursaut d'indigence
Pour retirer les plumes aux oiseaux
J'ai fini de voler

Et je t'aime si tu savais
Je t'aime en déroute
La nuit léchée meurtrie
Je lui ai tordu le cou

Elle vient de tomber joli cadavre
Fin du jour ombre des volets
Sur les trottoirs où l'on termine
Les pas d'un monde ou deux

Lorsque tu te retournes
Tu prends vent frais de moi
Comme d'un parfum mille fois enlacé
À l'ombre des battements trop forts

Allonge tes yeux je désespère

Les rêves qui rôdent la nuit
Chantent à la belle étoile
Tout ce qu'il manque à tes mains de jour
Pour m'enfermer de liberté
Il me reste à t'aimer encore un peu
Encore un peu de toujours
Et Paris où nous marchons
Est foulé des oiseaux aux yeux alouettes
Des enfants fous et beaux
Des amants d'hier et d'aujourd'hui
Au roulis de la vague
Aux corps encastrés dans le temps
Des vieillards affamés d'un mot
Que l'on a oublié d'écrire en fumée
De tous ces gens invincibles
Qui ont oublié d'exister
Au bonheur la chance

Au tout petit bonheur d'une demi-chance
Et Paris où nous marchons immunisés
Des chants de vautour

Et Paris fermé de ses fenêtres
De ses beautés immenses
Qui appelle la nuit au secours de la misère

J'ai fini de rêver ton silence
La mort peut bien dessiner sur mon front
Les plus naïves lueurs bleutées
Dans tes yeux je ne peux pas mourir

Le ciel est trop bleu dehors
C'est un ciel qui ne ressemble pas
Aux minutes d'égarement
À l'intervalle de folie
Où l'on laisse décéder l'enfant
Comme un accent grave
Où je reviens auprès d'un hôpital
Où je suis enfermée toute blanche

Je suis plus blanche que la lumière éteinte
Et tes mains glissent sur le lac blanc de neige
De songes invalides

Paris et son firmament
Diamants à mon cou de vent

Dans ma tête les étoiles apprivoisées
Du monde que je te donne

Paris et ses secrets
Au fil des mains entendues

Au petit bonheur la chance

Simple histoire d'amour
pour l'homme que je ne serai jamais

Je l'ai rencontrée à l'heure où s'épanouit la disgrâce, au juste moment où l'on croit avoir fait le tour de tous les mondes reconnus. À l'instant unanime où l'on perçoit la très dernière étoile du chapelet. Je l'ai rencontrée un peu comme on s'évanouit, un peu comme on tombe de ses jambes. Je l'ai regardée à la façon dont on reconnaît quelqu'un d'inconnu. Ce fut fort et instable à la fois car j'ai vu tous mes gestes tomber à l'abandon. Elle a défriché d'un seul regard le monde alentour. Le vide pour nous deux à vie. Cette maudite étoile qui se casse comme du verre, comme le dernier éclat à saisir.

J'ai ramassé la petite flamme dorée et je l'ai portée sur moi, jusqu'à ce qu'elle contamine mon cœur. Je l'ai rencontrée un peu comme on meurt. Avec surprise. Avec enchantement. Et avec l'infinie douleur éprise d'elle-même qui reprend les mains faibles. Depuis, les miennes n'ont jamais fini de trembler : elles palpent, légères et disgracieuses, l'air balayé ; elles recherchent ces formes de femme qui coupent et démantèlent les sens. D'un coup de tête, elle a tout réduit en cendre de feu. Elle a coupé les formes et couleurs avec une aisance tranquille. Mes mains sont devenues vaines : elles ressemblent à des éventails de pays froids, elles sont magistralement inutiles. Je les vois animées par le sordide secret des rues qui tombent, parce qu'une femme est passée en regardant le ciel. En regardant le ciel comme on pardonne sans mot dire.

Le silence glissait comme une aquarelle redevenue eau. À la façon de la pluie qui court haletante. Le silence dans le bruit qui fait tout basculer d'un coup. Et le décor qui change. Je l'ai rencontrée comme on oublie de respirer une seconde. Une seconde vacante, purifiée, et ses volets qui claquent sur la poitrine. Une seconde grimaçante. Je l'ai rencontrée comme on devine une âme délivrée de son sarcophage, comme on vole à ses côtés au-dessus des cimetières marins. À l'ombre de tes cils cyprès, que l'amour repose en paix. Et ce fut tout. Tout comme une pierre qui tombe dans l'eau sans faire de bruit, ni d'ondes, sans apaiser le silence et son firmament continu. Et ce fut tout. Pour la première et déjà dernière fois.

C'est étrange, je l'ai perdue sans arrêt toute ma vie. Je l'ai perdue sans jamais l'avoir possédée du regard.

Délit de vie

À l'homme rivé sur le sort de ses mains

Vous avez tort Monsieur
On ne quémande pas la vie
Qui passe tête baissée
Avec sa peur mortelle qui rase les murs
Non jamais on ne quémande la vie
On la regarde seulement passer
Comme l'unique ombre essentielle
Après celle des arbres dans les champs
On la regarde trébucher se confondre
En plissant des yeux
Pour gagner son mystère hagard
On l'observe la bête curieuse
La bête perdue du troupeau tout en noir
Non Monsieur
On n'invite point la vie à demeure
Je vous assure cela ne se peut pas
Elle est à elle-même sa maison
Et ses habitants de fortune
Elle est les rideaux clairs de la chambre

Baignée de lumière limpide l'eau claire
Elle est dans les cadres souvenirs
Dans les images sang de l'instant
Elle est dans les yeux d'un enfant heureux
Et qui ne connaît pas son bonheur
Plus tard il en connaîtra le prix
Il perdra ses yeux docilement
Comme tout le monde
Elle est dans les mouvements du vent
Contre les carreaux des fenêtres
Elle est dans chaque détail de mensonge
Dans l'horloge et sa chouette
Elle est tellement partout
Que lorsqu'elle manque quelque part
La mécanique est enrouée
Oui Monsieur comme je vous le dis
La mécanique a un chat dans la gorge

Elle est dans l'amour par effraction
Dans la guerre par hasard
Elle rentre elle sort elle repart
Elle fait dix mille fois le tour de la terre
Pour voir mourir les gens apaisés
C'est sa grande curiosité
Puis elle rase les murs comme troublée
Et meurtrie dans sa chair amère
Puis elle se ride et flétrit
Comme une étrange pomme
Qui se donne la vie la vieillesse et le fruit

Qui se régénère et se dulcifie
Elle avance au rythme des nuits
Comme un automate sublime
Non Monsieur vous avez tort
On ne quémande pas la vie
Qui se regarde dans l'eau trouble
Avec ses yeux trop vifs trop significatifs

On ne l'enseigne pas à ses enfants
On croit la connaître par cœur
Car elle est trop belle et trop naturelle
Pour jamais disparaître
Alors on l'observe sans avoir à la deviner
Aux quatre coins du petit jour
Et on n'ose pas la toucher
Pour toute sacrée qu'elle soit
Elle est l'enfant de toutes les mères
Elle est le flot continu des vagues
Elle est le visage aimé retenu
Elle est dans les murs chauds de soleil
Même dans le ciel
Il me semble la voir trotter
Au rythme de nuages de poche
Vous voyez Monsieur
Elle est à elle-même son propre jeu
Elle est à elle-même sa loi
Et son très unique silence
Sur les fronts délaissés

La vie coule de source je vous assure
On ne quémande pas la vie
Car c'est elle qui vient à vous
Vous donner à boire
De cette eau miraculeuse et fertile
Qui donne la fleur au corsage
L'herbe folle les corps sublimés
De cette eau qui confère
L'étrange pudeur de mourir
De cette eau qui épaissit la douleur
Comme un voile noir sur les yeux
De cette eau que les hommes les frères
Parviennent à se voler à se détruire
Elle rit la vie enfant des faubourgs
Enfant d'une étoile et d'un rêve
Dans les yeux ivres d'un lendemain d'amour
Elle est rire la vie insoutenable
Lorsqu'elle ne déverse pas les flots de sa fumée
Les délimitations de ses terrains vagues
Moi j'ai le vague à l'âme Monsieur
De voir cette monstresse appauvrie
Se prendre à son propre jeu
De fée des bois aux mains de femme
Elle tient à l'unisson
Des regards affamés et subtils
Et des mains qui se referment sur rien
Elle est son propre manque
Sa propre franchise ravivée de pourquoi
Elle est l'engeance volage

La mère qui veille sur ses enfants
Pendant des nuits entières sans la lune
La mère qui les abandonne de la même façon
Le lendemain dans les rues amnésiques
Au fil de ses pertes de mémoire

On ne quémande pas la vie Monsieur
Je vous en supplie pas une seule fois
Car j'ai le vague à l'âme
De vous voir ainsi agenouillé dans le noir
À l'attendre comme un fou
Cela ne s'est jamais vu

D'en vouloir autant d'un seul coup
Arrêtez de boire à cette fontaine-là
Vous voilà âme au bout de sa peine
Le chemin s'agite et rétrécit
À vos yeux chancelants après la danse
Les arbres tourbillonnent et écrasent les passants
On les lance des fenêtres sans bien faire attention
Pour faire une forêt imaginaire
Je vous emmènerai là-bas la nuit
Vous verrez c'est beau
Tout simplement
Comme un rêve que l'on poursuit du regard
Comme des mains que l'on a perdues à sa bouche
Comme des mots épars qui deviennent raison
Comme une ombre et son lampadaire
Comme la vie aussi

Si Si
Comme la vie éphémère
La fleur aux dents
La fleur au vent de la mer
Où l'on se noie par inadvertance
Comme la vie effet mer
La fleur aidant
La fleur au rang de la mer
Où l'on se voit par inexistence

Oui Monsieur
La vie est ailleurs pour l'instant
Mais on va l'attendre sagement
Comme des enfants d'images
Comme des bons points sages
Et moi je veux bien vous donner
Un petit bout de mon chemin
S'il vous en manque trop pour rêver
Pour vivre c'est pas compliqué
Il faut se laisser porter
Comme une feuille morte
Et le temps de temps en temps
Vous ramène vers l'enfant des faubourgs
Aux yeux égorgés de secrets éternels
Et vous la regardez sans fin
Pour vous imprégner de son visage
Alors vous êtes subjugué et maudit
Ivre à mourir des yeux sans fin
Des yeux sans armes blanches

Tout dans le feu éclair de l'orage
La vie étonnante vous ranime aux étoiles
Et vous vous réveillez au petit jour
Comme proscrit du sommeil
Qui peuple de brume les contours du vide
La vie étonnante effrayante
Qui rôde à la recherche de son absence
Quelque part Monsieur
Je crois que l'on revient toujours à la vie
Quels que soient les détours
Quelque part Monsieur
Je crois que les bords des chemins
Sont usagés par l'attente
Quelque part
On reconnaît son propre mensonge
Et on l'oublie
Et ailleurs toujours
On est prisonnier de son délit de vie

Dernière autopsie

La vie condamne les hommes
Aux mêmes soubresauts des remparts
À une même tentation de brûlure

La vie consume les hommes
Comme des feux de joie
Dans les bas fonds de l'eau

La vie transparaît en mesure
Des miroirs d'homme

La vie revendique un sourire
Et le retient sans fin
Au bord de l'évanouissement

La vie rassure sur la nature du mal
Et baisse les yeux en abondance

La vie va jusqu'à la mort
Après elle se fait déraison
C'est là que je l'attends

La vie est une dernière autopsie
Et l'homme aime son secret

Ce que j'écris n'est pas en soi-même une attente
Et c'est là la véritable chance
C'est merveilleux d'écrire jusqu'à la fatigue
Lorsque le sort en est jeté de la première ligne
Celle-là seule contamine toutes les autres
Celle-là seule vient de plus loin que l'attente

Vous avez mille fois raison
Si vous pensez qu'écrire me rassure
C'est l'unique soulagement
Et le plus subtil de tous
Il y a chaque jour des mots à accomplir

Chaque page grandit doucement
Soit comme une fleur folle et ses parfums
Soit comme l'arbre qui donnera ses fruits
Soit comme la mauvaise herbe
Ou la feuille déjà morte

Mais une page doit être écrite
Il faut pouvoir fixer les mots lorsqu'ils viennent
Et prendre certains risques d'écriture
(Le risque de ne pas écrire se délimite autrement)

Mais une page doit s'écrire
Comme si elle était la mille et unième
D'une longue série de tentatives
La mille et unième après mille autres
Avant l'infini moins un

Il n'y aura que la dernière page
Que je n'aurai pas la prétention d'écrire
Parce que c'est la seule
Où l'on n'a pas le droit de se tromper

À force d'ouvrir tant de fenêtres
Le soleil entre toujours par la petite porte
À force d'outrager les souvenirs de mer
On en ramène toujours le goût de l'écume

C'est l'évidence même
On ne peut écrire en vain
On ne peut créer dans le vide total

Les jours peuvent se réveiller dans l'oubli
Je demeure la plume incrustée dans la main
Comme un défaut de naissance

Ou peut-être le plus beau cadeau du monde
L'étrange pomme semi-empoisonnée

Un cadeau de chaque jour
Qui fait chérir la solitude
Et les heures reculées où tout s'est éteint
Qui a mis mes yeux en projection
Au dehors de la vie même

Une main pour guider l'existence
Et la rendre incurable à souhait

Une main crinière ardente
Pour reconquérir les heures perdues
Les cieux différents
Les cieux à mes yeux

Château de cartes

La nuit souffrir et sourire
Sur la moiteur des murs juxtaposés
Imbus de lumière
Et tes yeux hérissés extra-lucides
Qui abattent les cloisons
Comme autant d'obstacles au sommeil
Je fais tes contours
Et je dessine ta présence
En marge des mots amoureux
Sais-tu seulement ce que tes yeux
Emportent de moi
À chaque venin de la glace
À chaque sourire de cristal
Sais-tu seulement que je m'enferme
Au loin de tes yeux
Pour percer leur mystère
Qui fait boire la lune de midi
Le soleil d'après

Tout bascule en volte-face
Et le vol plané des choses
Qui ne riment à rien
Rappellent les murs désastrés
À leur destin de châteaux de cartes

Spleen Idéal la nuit endolorie
Et si claire comme en songe
Tu es dehors mon amour ma vie
J'abats toutes mes cartes
À ton jeu de miroirs
À tes yeux colombe eau bleue
À tes glaces du fin fond de la vie

Le prix des diamants
Qui fondent comme la glace
La nuit rareté de femme
Ses lèvres délaissées par le courant

Je referme mes mains à la portée des miroirs
Tu manques
Tu manques inlassablement
En rêve sur toutes les marges d'ailleurs
Les oiseaux se déplient en losanges
Pour couvrir mon cou qui a froid
Il manque tes bras
Au tableau des songes contrôlés
Pour que la nuit s'apaise se retire
Du chemin épineux guidé d'étoiles

Où je marche loin de toi
En répétant ton nom les yeux bercés
Ton nom des sept fois je t'aime
Ton nom qui déchire les voiles
Qui me séquestraient la force
Ce non-dit étrange du bonheur

Ton nom rose prisme aigu
Que j'ai recueilli un jour de nuit
Pour en faire le cœur de la fleur
Dans le champ vide de démon de minuit

Ton nom inaudible
Point de repère équinoxe
Avec tous les recoins de ta peau
Qui l'accompagnent de moi

Les champs vont la nuit le long des murs
On a comme clôturé la visibilité
Mais je ne cesse de te regarder avec mes mains
Mais je ne vois partout que ton mystère
Qui n'apaise pas les battements des miroirs
Le trouble des yeux qui n'ont pas pied dans l'eau
La majesté folle des lèvres en suspens
Je t'aime c'est à faire peur

Je t'aime à gravir les roches de nuit
À monter sur les murs chrysanthèmes

Chaque sommeil est aux anges
Le tien vibre sur un étang doux et soyeux

Loin loin mes cheveux
Si loin mes mains et la raison des larmes

Et si j'écrivais le creux de ton dos
Sur les murs encastrés de ma chambre
Pour te regarder disparaître
J'ai peur

Les chaises musicales

Ce matin je me suis réveillée
Avec un petit miracle
Je me suis crue couverte de fleurs et de ronces sauvages
Comme si j'avais passé la nuit dans les grands champs
Émotion sans partage j'étais presque sûre
D'avoir dormi à la belle étoile
Comme pour me retrouver tout à coup
Sur un manège de petits chevaux de bois
De ces temps anciens
Où les champs de tes mains prédisaient la bonne aventure
Et il y avait une musique
Une musique de tes bras en rond mon Amour
Une musique qui faisait le tour de la danse
Et revenait à un point indécis de ma mémoire
Peut-être ai-je vraiment dormi ailleurs ?
Non c'est impossible vraiment
Mes membres sont attachés à ce lit ciment
Par la fierté des corps amers
Et ne semblent pas prendre le parti pris

De la clé des champs
Dommage c'était le rêve encore
Et sa clé de voûte
Un oiseau lyre passe sous la très noble pierre
Et la magie à nouveau mime un tour
J'en étais là de mon réveil
Lorsque la musique reprit la fête imaginaire
Alors je m'incrustais indélicatement
Dans les faux airs de la réalité
Elle était bien là la musique
Avec sa petite frimousse d'un autre temps
Avec son extrême lenteur ralentie
Elle est cassée Monsieur votre boîte à musique ?
C'était de la rue que montait le rêve
Jusqu'à ma très haute tour clouée
Mais je ne pouvais pas aller vers elle
Alors de plus en plus elle remplissait l'espace
Avec ses mille tours de bras dans le rêve
Et ses chevaux déliés langues de bois
Qui courent dans les champs in extremis

J'ai failli me briser cent fois
Pour me rapprocher de la fenêtre
Où trois petites notes de musique…
Vous connaissez la suite

Paris d'un autre temps à ma fenêtre
Car cela n'existe plus la musique de rêve
À mon petit coin de rue embué

Un enfant avec son cerceau non plus
Le passé a rejoint mes chaises musicales

Trois petites notes de musique…
Et le rond des feuilles en tombant
Et le rond du petit jour
Tendre tendre est mon Amour
Et ses bras qui m'encerclent

Musique de partout et de nulle part
Réponse à l'écho du temps
Je t'envie
Pour toute cette eau qui coule de source
Et qui éclaire chaque recoin de l'âme
D'une lueur ennoblie et secrète
Musique pour ton univers en rond
Et la magie qui fait de chacun de tes tours
La valse réveillée du monde en suspens

Tu es reparti bohème mon rêve
Comme un son irradié qui s'évanouit
Et ma tête sablier a refait un tour
Pour me rendormir tout bas

La musique de tes bras en rond mon Amour
Qui a pour chaque note son paysage vécu
Et le recoin choisi de ton visage
Pour chaque réveil de ma vie
Chaque exil intemporel

Le passé a rejoint mes chaises musicales
Doux très doux souvenir de l'enfance invaincue

Les yeux de ronce

Mon errance est rance
Et les yeux de ronce
Mon errance et la ronce
Mon air rance

Les yeux de ronce
Qui accrochent sans cesse au passage
Comme les mots retenus au filet
Au filet du jour lumière
Les yeux de ronce
Uniques perles noires dans le ciel
Qui virent au mal de cœur
Et la femme de ces yeux
A les grâces du délire apaisé
La brume naissante des rochers
Qui pointe ses voiles sur l'océan
Et les bateaux qui ne partiront jamais
Et les poissons qui passent à travers les filets

Et les rêves des heures creuses
Comme l'eau que l'on ne retient pas entre les mains
Je reviens sur ses mains écorchées
Parce qu'elles ont des mouvements d'inattention
Dans cet air qui se balance
Sur des chansons d'enfants
Perdus quelque part
La chute le point culminant
Et les fausses résonances des secondes
Qui tombent si simples apparitions
Le temps qu'il reste s'affole
Il est bref dans les yeux de ronce
Balles perdues au-dessus de la mer
Étrange femme au miroir
Que reste-t-il de ces flammes d'antan
Qui n'avaient aucune amertume à boire ?

Hommage à Magritte

pour son dessin « L'Alphabet des révélations »

À moi la colombe de nuit, ombre de ton ombre
À moi l'ivresse, le verre où tu me bois
À toi les songes de nuages, la clé de ma raison pure
À toi la fumée de mes yeux, le jour qui s'évanouit
Comme la femme
Comme la femme que je suis
Et que tu as fait éclore entre tes mains
Mon amour, la terre a tant de murs suspendus
À hauteur d'homme
À mesure de rêves d'homme
À moi le ravir de t'entendre, la moisson de l'été
À moi tes mains éphémères, le tissu, le plafond de l'idéal
Et ta tête qui bascule à douleur humaine
À toi la silhouette qui court, le souffle incandescent
À toi le trouble de la seconde, les fenêtres éclatées
Comme la main
Comme la main brisée à se battre
Contre la nouvelle mer enlacée et amère
Mon amour, le ciel a tant de murmures inassouvis

À dimension inhumaine
À mesure d'oubli de l'homme
À moi ta main, même si tes yeux la confondent
À moi la déraison de tes gestes, gravité de l'espace
Et ton front à portée d'étoiles
À toi le dérèglement inattendu des mots, la mémoire à venir
À toi tout ce que tu me donnes à écrire, la nuit
La nuit à en mourir du ciel brûlant
Et j'épouserai tes mains incrustées dans la terre
À hauteur de tombeau, de l'oiseau tombé
À mesure de la vie, extrémité du combat
Et je les lèverai vers le ciel
Comme des pierres d'homme qui soupirent
Comme des monuments à gravir
Tout le long infini de la ligne consumée

Cendre de minuit

J'ai respiré ton sommeil
Comme on respire un champ qui s'endort
Somme de ses pluies au creux de sa chair
Somme de ses oiseaux au profil de l'herbe
Somme de ses formes ondulées
Et il en faut Et il en faut encore
Pour ranimer la beauté au bord du précipice
J'écris pour te dire le sommeil
Et l'étoile rarissime aux pieds nus
J'écris pour cette nuit perdue désertée
Et tes doigts bohémiens sur papier glacé
J'ai avalé ton sommeil
Comme une proie facile au sommet
Au sommet de la tentation du précipice
Où le rêve obstrué de la faiblesse
Renouvelle à la nuit le venin rouge du jour
Renouvelle abondamment ses titres de noblesse
Ton sommeil est chaque fois retrouvé
Avec sa clé d'or pendue au cou

À ce cou traître et fragile du désert
Où est-il ton jardin perdu
Pour que tu le cherches à tous les gouffres ?
N'est-il pas la perle « le réservoir à nuages »
Aux petits matins androgynes ?
Je te promets de t'avouer sans recul
Du temps Sans le recul du temps
Je te jure les chants du cœur
Aux limites de tes réserves grandissantes
Comme ces yeux qui précipitent sans trêve
Les nôtres dans le bleu
Et le sommeil dilate tes tempes fleuries
Que faut-il encore à tes jardins d'ailleurs ?
À ces champs de femme scintillants
Qui ont séduit toute larme de papier glacé ?
Et le sommeil quand tu dors
S'enroule autour de toi statue vertigineuse
Il ressemble à une femme amoureuse
J'ai rassemblé ton sommeil
Aux quatre coins du monde
Aux cinq angles du ciel
Comme l'on ramasse à fleur des champs
Les promesses renouvelées à jamais
Battant à mon cœur sa sourde mélodie
C'est le vent fort qui vient vers moi
J'ai laissé tomber les rideaux de pluie
Sur ton visage qui est à lui seul
Mon mystère mon mirage
J'ai laissé tomber l'abandon

Pour renaître de tes songes
Avec ces yeux grandissants des bords dangereux
J'ai tout laissé bleuir
Et le ciel qui n'est que trop bleu
Est devenu gris sur la mer de tes pleurs
Ma bouche est rassasiée de tes yeux
Ma bouche retourne aux terres de sommeil
Sur tes profils perdus
J'ai rassemblé ton sommeil
Aux quatre coins du monde
Aux cinq angles du ciel
Et je l'ai dispersé au vent fort
Qui descend des cimes éternelles
Et je l'ai dispersé dans les jardins secrets
Comme la cendre de minuit
Qui a baissé les yeux

Jusqu'à la fermeture du temps

Et toi, velours à mes doigts
Que sais-tu des anges du paradis ?
Je suis baignée de lune ecchymose
Jusqu'à mes veines de paysages charnels
Et tout mon amour va croissant
Croissant de lune vertigineuse
Empourprée la myrrhe de ton regard
Lorsque la nuit descend pas à pas
Étage par étage
Embourbée la terre vide de sommeil
Tu germes sous ma lampe équinoxe
Comme un papillon aux ailes carnivores
Qui fixe ma pensée retenue et aspirée
Comme une lune attachée à son fil
Comme une âme qui regagne sa chair
Sa chair d'abondance

Et toi, volupté à mes sens
Que sais-tu des marges du devenir ?

Je suis noyée de bain de lune
Cailloux cadrans solaires jetés à mon visage
Comme un bruissement du temps subtilisé
Comme ta main qui s'évade papillon
Et tout mon amour est grisant
Grisante la vitesse de tes mots épars
Sur l'échelle qui monte aux étoiles
De faïence de terre de sel d'amarante
Si facile à briser comme un ciel démystifié
Tu éclos de mes brûlures
Comme on parle aux enfants aux fleurs
Comme on se souvient du couteau sous la gorge
Tu es inné en moi
Attelé à mes yeux Douceur infaillible

Tes volets ont basculé dans l'air
Il me faut te surprendre
Dans mon regard muré
Lierre à ton mur
Grimpant grimpant
Et sulfureux
Tel à la pâmoison d'une feuille d'automne

Aucun paravent ne peut me cacher ta lumière
Car c'est moi qui lui prête vie
Du fin fond de ma grotte
Et tu me donnes tes yeux pour respirer
Et tu me donnes tes mains pour pleurer
Mes poumons géraniums sont à ton balcon

Comme des ombres penchées dans le vide
L'aube, qu'importe ?
Si grands soient les jours de ton absence
Il me semble que la possession équivoque et incertaine
De tes inattentions
Ne peut voir le bout de ma vie
Pâle si pâle équinoxe
L'arrêt de vie, qu'importe ?
Je t'aimerai
Jusqu'à la fermeture du temps
Jusqu'au temps fermé comme une boucle
Comme une boucle close
Où germe le froid de l'emmurement bâclé
Où la chaleur grise un papillon de nuit

Reviens la nuit
Reviens mon amour
Redonne-moi le sacre des saisons
Même s'il faut mourir demain
Je veux voir la neige fondue de ruines
Et les fleurs exilées en Décembre
Et les arbres nus du temps de l'amour

Je veux absorber la paresse
Je voudrais collaborer à la magie
De l'imaginaire imagé
À ce que l'infini me divulgue
De nous-mêmes
Par bribes dans tes yeux miroir gelé

Miroir gelé du temps
Même s'il faut dépêcher demain
Aux ondes sonores de notre amour

Et toi délice calice
Retiens le jour qui finit
Par un pli de la lune
Pour éclairer mon visage
Lorsque je te dirai la bonne aventure
Qui rime avec délice calice
Lune ecchymose
Sang dilettante des jours dispersés
Par goutte à goutte dans nos yeux
Et le temps est perdu à jamais

Le tour du réverbère

Qui sera-t-il
Lui
Et pas un autre

Il sera celui qui arrive sans prévenir
Et la surprise éternelle de son regard
Déjà mille fois reproduit
Sur les écueils changeants de mon ciel
Il sera celui qui n'en revient jamais
De l'illusion
Celui qui bat la campagne solitaire
Comme on bat sa vie aux jeux de cartes
Comme on joue aux rêves des autres
Il tourne autour d'un réverbère
Mille fois le simple et même tour
Dans les ondes qui sillonnent le destin
Le sien et pas celui des autres
Il sera celui d'une seule parole
Le mot pauvre qui suffit

Et que l'on a jamais entendu auparavant
Il sera celui-là l'unique tour
Autour de moi
On ne peut pas revenir sur les yeux exaucés
Enfin Après tous les moments de sommeil
Il sera celui à l'intonation profonde
Aux souvenirs rauques et épaissis de lune
Qui tirent les rideaux sur son visage
Il sera à l'exactitude de ma vie
Les mains qu'il me faudra remplir
Et nous ferons le tour du réverbère
Chacun et tous deux dans le même sens
Au revers des rêves des autres

Adieu aux poussières des yeux piquants
La vieillesse et son pardessus décousu
Ne peut rider les cercles de la lumière
Dans l'eau
J'ai tant décousu le revers de mon ciel
Tant fouillé les poches de mes yeux
J'ai tant de fois défait et défait
Pour comprendre l'absence
Que parfois les ombres sont caressantes
Et c'est ainsi que va le monde
Et c'est ainsi que l'on marche
Sans jamais s'arrêter d'aimer
À l'improviste

Qui sera-t-il
Lui
Je n'en veux pas d'autre

Adieu ai-je dit
Aux poussières des yeux piquants
Il me faudra apprendre
À retomber en poussière à mon tour
Dans la terre de tes mains
Uniques à me recevoir en corolle
Je serai la poussière d'argent qui finit son sort
Autour du simple et même tour
D'une silhouette parcourant une ligne imaginaire
Une ligne en forme de ronde de l'eau
Et son centre est un réverbère

Et il marche sur le reflet de l'eau
Et son regard est scellé de ciel
Celui
Celui couvert du manteau de mes rêves

Le creux de ton cou

La beauté se compose à la longue
Comme la vie perpétuelle trame d'inadvertances
La beauté a un écrin pour se protéger du froid
C'est un pétale qui bat
Et moi aussi je bats je bats pour toi

La beauté la partition
Et sur cette feuille il y a les notes des arbres
Quand la tempête de soufre se lève doucement
La beauté dressée à se tuer
Et pourquoi pas les fourmis rouges pour la couleur ?
Et pourquoi pas les fleurs en papier mâché ?
Et pourquoi pas tes lèvres à me défendre ?
Et fendre l'air comme l'oiseau

La beauté ange en corps à corps
Accord tacite de tes yeux des hautes sphères
Le ciel anthracite de ma bonne étoile

La beauté de la femme c'est son secret
La beauté de l'homme c'est sa loyauté
Sincérité il faut te cacher
S'il faut meurtrir les murs de ses ongles
S'il faut crier sans faire de bruit
Il faut vivre en parallèle
Et déplier le parachute avant de tomber au ciel
Je pense au cran d'arrêt de tes lames fondantes
Et tes coups dans le vide qui m'atteignent
Au passage

Au passage de ta vie je me suis emmêlée
Tout entière et sans partage
Mes yeux tombent par milliers de ton regard
C'est la chute du passé et la chasse au vent
Qui sait d'où le coup est parti ?
Qui sait ramasser le soleil sur le trottoir
Sans se brûler l'âme en feu
Sans te brûler aussi
Puisque de mes doigts découle le creux de ton cou

La beauté des mésanges bleues
La beauté est peut-être la clé du tiroir
Où l'on enferme les ombres
Pour dépeupler la terre les rivages de tes yeux
Pour déflorer les champs de ta peau
Soie d'un ciel désastré
Laisse-moi remplir ta maison de tiroirs à secrets
De mésanges tes plafonds pour le ciel grandissant

Qu'importent les cages des fenêtres ?
Les formes belles de la vie s'évanouissent
Pour renaître des obstacles des boucliers ardents
La beauté est veloutée de danger
Elle ne craint pas la menace
Il y a un temps mort pour chaque mésange tombée
Dans la cage de l'escalier

La beauté de la femme c'est un miroir
Dont tu as fait éclater la ressemblance
Avec hier Toi seul as lancé la pierre
Et je t'aime avant demain
Prends-moi donc ces deux mains
Puis enferme-les dans les tiennes
Toi seul as lancé la pierre à ma maîtrise de glace
Il a suffi du toucher pour briser le miroir
Et le sang n'a perlé que de l'autre côté
Et la douleur a ouvert des yeux de granit
Partout dans les livres de comptes du passé

J'ai compté la beauté à chaque fois
À chaque page lue à chaque dérision du temps
Je voudrais retenir l'enfant qui part
Et me donner la contagion de la souffrance
Qu'il ne dit pas
Lui et moi nous savons qu'il n'y a pas de mots
Pour retenir la vie en lambeaux
J'ai compté les feuilles qui tombent
J'ai peur de mon impuissance

D'un quai de gare et de la brume épaisse
Comme les yeux fermés de l'enfant
J'ai peur des anges sans ailes
J'ai peur de l'espoir que l'on n'a pas donné
Et j'attends d'oublier
Les gouffres qui ont creusé mes mains
Et les fleurs qui en jaillissent démesurément
Des fleurs outragées des éclats de miroir

La beauté je te la confesse
Elle existe dans la démesure et dans la petitesse
La beauté a un écrin pour se protéger du froid
Pour s'isoler du blasphème
Et l'hiver est monté jusqu'à moi
Mais des fleurs ont conquis ton sourire
Viens à moi Je me ressemble

La main personnelle

J'ai écrit jusqu'à devenir mon propre voleur
J'ai écrit jusqu'à l'effarement de ce que j'écrivais
Je me sens comme dépossédée
Mais ce n'est que de moi-même
Je suis la main qui se démunit de raison
Je suis la main qui pointe à l'horizon
Et qui a fait feu de paille à la mutilation
Je suis la main qui a tout pris de moi
Et qui mendie l'appartenance
Je suis ce que ma main m'a laissé
Et l'horizon pointe au mensonge
J'ai fui avant l'heure
Ma main a dispersé ma fuite
Je suis la main que l'on ne reconnaît pas
Je suis
Je suis la main feu de paille
Et les yeux bleus des cieux calqués
Je suis la main du paraître
Il n'y paraîtra que le vol de moi-même

Elle est le couteau à papier
Et le poids mort promis à ces mots
À ces mots blêmes
De la recherche intérieure
Je suis jusqu'à la nuit intemporelle
La main la main feu de paille

RIEN D'AUTRE

QUE VIVRE ET VOIR VIVRE :
LE JOUR LES YEUX OUVERTS,
LA NUIT LES YEUX FERMÉS, AVEC,
DANS L'INTERVALLE,
LE GESTE MINIMUM DE MOURIR.

Paul ÉLUARD, *La rose publique*

Un pavot magique
Et l'ineffable désertion de l'espace
Lorsque l'éphémère se révèle
Autour de ses formes limpides
Un pavot de petites ruines
Et son cœur émietté prêt à s'envoler
Si tu viens si tu viens vent léger
Un pavot magique
Et le jour n'est plus celui d'hier
Et les tiges tombent de leurs fleurs
Et la vie meurt dans ses cendres
Un pavot pavé de sépulture
Comme la vertu est belle
À vivre pour disparaître
Quand on a gagné les contours de l'air

Tu as un pavot accroché à ton ombre
Et je crains toujours de ne pas te retenir
Tu as un pavot à ta boutonnière
Et tu renais des résistances de la vie
Un pavot à la vue de la femme nue
La fleur rouge que tes songes ne peuvent retenir
Elle tombe de mes doigts
Comme le son de ma bouche à mâcher ton silence
Et la petite fleur de ton front rebelle

Le pavot somnifère fournit l'opium
Et le secret des temps décalés
Un peu comme tes doigts fournissent la neige
Chaque jour ton image renseigne mon obscurité
Et tu me donnes la contagion de ton front
Où je bénis l'heure évaporée
Puis la fumée blanche qui me libère
Les yeux de leur carcan
Chaque nuit les fleurs meurent
Et un filet dans l'air ne pourrait suffire
À retenir leur amorce de liberté
Pavot magique et ton abandon de pacotilles
J'ai besoin d'un oxygène plus durable
Pour me convaincre à l'infini
De la vie de la vie finie
De la vie qui finit toujours
Et je me dois de te dire…
Tu poses un doigt sur ma bouche
Pour clouer le déraisonnable amour

Qui m'éclabousse l'atmosphère
Qui a donné la couleur de pluie à mes yeux
Avant même ma naissance
Et je suis née des cendres dorées
Et des droits éphémères Sursis de l'homme

Tu poses un doigt sur ma bouche
Pour arrêter le flux continu du baiser
Bain noyé de la rivière débordée
Viens border ma déraison mon Amour
Au lit creusé par la nuit sur ton ombre
C'est le nid de l'humanité rapace
Que de clouer le bec aux mendiants
Et ton ombre épaissit la terre
Pour donner à mes pas plus de fermeté
Et ton ombre magie noire
Fait revivre l'oiseau terrassé
Le pavot ou peut-être le nénuphar de Chloé
Je porte en moi une fleur inconnue
Mais personne ne l'a regardée sans mentir
Avant toi Avant ton regard baissé
Et le courage m'a suspendue à son mur
Comme la preuve que je n'ai pas su mourir
Avant d'avoir prouvé par ces mots
Le firmament de tes cheveux
Et ce que ta main a écorché du ciel
Pour ranimer ma voix
Et tout ce que tu as d'inconnu comme étoiles
À défendre À préserver hors d'atteinte

Avant d'avoir rapporté mon front à ta nuit
Avant d'avoir écrit les chaînes de solitude
Et la fenêtre vue de dehors
Qui est toujours semblable à celui qui passe
Et la disparition que personne n'élucidera
Jamais
Parce que moi seule étouffe de son silence

Aide-moi mon Amour
La nudité d'exister renferme mon secret
Et les heures vagabondes qui courent après moi
Quelque part il me faut me cacher
Pour que nul ne perçoive ma vie parallèle
Déliée comme un ruban au vent
Et que la main referme au mystère
Aide-moi mon Amour
À faire fleurir de ces pages
Ce qu'il me faut réaliser dès à présent
Et qui tient en peu de mots
Je cours ma bouche à leur recherche
Ne réfrène pas mon avidité légitime
Ne cloue pas ma bouche à ton front étoilé
Laisse-la mourir à chaque fois
Je suis née pour une attente
Et pour t'aimer follement
Et pour écrire follement
Ce que je n'ai point su aimer
Point toujours

Dérision
Pièce en 1 acte, en 1 scène

Prélude à la fin :

J'ai mis le jour en boîte
Dans sa conserve
Et je lui ai dit :
Conserve-moi le doute d'immobilité
Je suis fatiguée d'attendre
À ton chevet
Je ne puis résister à ton souffrir
Tu es le condamné prêt à mourir
Et c'est ton habitude
Que de monter à l'échafaud
Pour couper ton cou lourd
Avec l'audace de ceux qui ne peuvent point mourir
Vraiment
Conserve-moi le droit à l'absence
Si le désir est latent
Si la raison sommeille
Comme le condamné qui ne craint pas la mort

Et qui pour cela a bien tort
J'ai mis le jour en boîte
Et il m'a regardée l'œil vague :
Mais qui es-tu toi
Qui dérapes de mes bras
Comme pour briser la mécanique
À qui tu dois de battre
En tant que cœur en tant qu'esprit ?
Mais qui es-tu toi
Vêtue de nuit et sombre et étrange ?
Mais qui es-tu toi pour défier le jour ?
J'ai mis le jour en boîte
Et je l'ai envoyé dans les choux
Faire une promenade de santé
Adieu temps mortel
Et vil et bas
Comme un pieu sur la terre
Que le ciel nous envoie
À son jeu du lancer
J'ai mis le jour en boîte
Pour qu'il apprenne à mourir
Un peu
Condamné de mystère
Pour qu'il regarde le noir
Cette couleur qui est sa veuve
Depuis la nuit des temps effarés
Des temps à semer le chou et la pieuvre
L'espace est tentaculaire
Et le temps fleurit gaiement

À la base il y a un marché de dupe
Du coq à l'âne
Et le dindon de la farce
Véritable force tranquille
C'est l'homme
Dont on reconnaît à la bêtise
L'intemporalité profonde
Carotte ou sucette
Le temps le fait avancer à la baguette
Et l'emmène au théâtre de sa propre tragédie
Lorsque les rideaux tombent sur ses yeux
L'illusion l'a rendu maître de lui-même
Et il se sent des ailes à bras le corps
Pour voler l'humanité tout entière
Il se prend pour un autre
C'est sa grande force de persuasion

   — Monsieur Monsieur le spectacle est fini
   Il est temps de mourir

Et alors l'homme meurt comme il a vécu
Il lui faut la carotte
On lui promet un devenir martien
Et la garantie de ses biens
La machine à laver le frigidaire et la télé
On lui dit qu'il y a l'enfer aussi
Mais que cela n'arrive qu'aux autres
L'homme s'achète avec beaucoup de prévoyance
Le tombeau léger pour se conduire au paradis

Avec de jolies poignées chromées
Pour se porter le corps
Pour le supporter une fois de plus
Et sa seule intelligence
C'est de mourir avec dignité

— Monsieur Monsieur le spectacle est fini
Il est temps de mourir

— Et alors ! Et les rappels ! s'insurge-t-il, pinson de misère

— Monsieur les acteurs sont fatigués. Ils sont épuisés à vous surprendre.
Et puis ils sont partis. Il est trop tard. Vous voyez, il est minuit...

— Oui, minuit, l'heure du crime, blêmit l'homme intelligent

L'interlocuteur en a marre de jouer au baby-sitter
Mais il sourit complaisamment
C'est son métier d'annoncer les mauvaises nouvelles
Avec amusement et légèreté, l'homme grave reprend :

— Non, monsieur, le crime ne viendra pas de moi. Il vous faudra utiliser la force pour venir à bout de ma personne. Le fauteuil est confortable, le dîner fut bon. Je ne bougerai pas, dussiez-vous m'égorger comme un animal. Je suis homme de courage. Et je demande à revoir le film de ma vie, avec de plus un assortiment de pistaches et de cacahuètes, et un petit café pour ne pas m'endormir pendant les longueurs. Vous savez au moment où… Enfin bon !

Il précise enfin qu'il veut les mêmes cacahuètes que celles que l'on lance aux singes dans les zoos, et qu'ils dévorent avec délice.
L'homme est bavard. Même quand il n'y a plus rien à dire.
Comme le messager en a marre et qu'il a l'habitude de ces caprices éternels, du style de :

— (voix off) Ah non, non vraiment… J'ai pris d'autres dispositions. Et puis, ce n'est pas mon meilleur jour, voyez-vous… Je n'ai pas vu ma pédicure (l'être humain est bipède, ce qui réclame le double de soin. Et puis il adore ses pieds : il n'arrête pas de marcher dessus et de les regarder intensément). Et puis… Vous savez… Non, vraiment, aujourd'hui, « ce n'est pas possible ! »

Alors comme le messager a compris
Que personne n'avait vraiment « envie » de mourir soi-même
Quand c'est pour les autres, l'on se déplace en foule,
Eh bien ! Il a acheté un gourdin
Pour diminuer les dégâts verbaux
Et alors il assomme l'homme
D'un grand coup
Toutefois après avoir eu la délicatesse
De lui mettre son casque d'aviateur
Ce n'est qu'arrivé aux étoiles
Qu'il reprend ses esprits l'homme mortel

Et on l'enferme dans une cage dorée
Où enfin suprême récompense d'une vie humaine
On vient lui donner de bonnes cacahuètes salées
À heures fixes en forme de dérision
    Après le régime carottes
On a pensé à diversifier
Et l'homme toujours intemporel
Au dernier vœu exaucé
Reconnaît sa bêtise bienfaitrice
Et son immense bonheur
    Il lui aura fallu l'espace d'une vie
Pour le comprendre
    Et l'éternité pour s'en souvenir...

Pluie Fantôme

Comme une miette tombée de la nappe du ciel
La mouette a des ailes
Et le macadam l'a brisée
Comme une noix entre ses doigts granit
Je crois que la vie tombe à mes yeux
Je crois que la vie est un non-sens
Une opérette mal orchestrée
Pour tous les dimanches sans lendemain
Et la mouette elle si blanche tout à coup si noire
Point bâclé d'une phrase inachevée
Ne pourra plus déplier ses longs battements
Car il y a ce clou dans l'air
Pour écorcher le visage de l'innocence
Cette prude fille au balcon sans barreaux
Car il y a ce clou dans l'espace respirable
Pour tirer les traits du temps
La femme belle et délicate aux yeux tremblants
Est tout à coup cette vieille femme aux mains incertaines
À l'indigence amère et marquée

Qui a peur d'attendre de mourir
Qui a suspendu l'arrêt vivace de l'existence
À ses cheveux blêmes et fous blancs et noirs
De ses doigts gercés entre leurs ramures
Elle soulève les ailes blanches inertes
Seul un brin de soleil y perce encore de sa chaleur
Comme un petit picotement au cœur
Au cœur d'une flamme qui vacille
Et c'était peut-être la chaleur de vivre
Encore tout à l'heure

Comme une miette tombée de la nappe du ciel
Ton regard a des ailes d'absence
La vie la vie crois-moi à y regarder à deux fois
Est un non-sens sûr de lui-même
Et sûr des autres fraudes qui l'accompagnent
Son seul mensonge c'est la certitude
La vie la vie crois-moi est montée à l'envers
On devrait mourir d'abord pour apprendre à vivre
Tu vois tu vois les ailes d'oiseaux le chemin
Comme des mains dépliées sur le cœur
Au cœur du temps rêve incertain
Et le pire c'est que l'on n'a pas l'habitude
De renseigner la mer sur la mort d'une mouette
Et le pire c'est de voir tomber le vol des yeux
On songe à l'envol de l'oiseau plus haut plus haut
Puis à sa dernière tombe plus bas plus bas que terre

Le ciel est apparent à loisir
Et quand j'y réfléchis

Il me semble qu'il cache bien son jeu
À tant se montrer au-dessus des toits
Et la nappe du repas a basculé tout à coup
Et l'on voit pleuvoir des mers et des soleils
Des arbres arbustes à têtes humaines
Des ondes des échos des voix sans prophètes
Des quantités de trottoirs de rues de passants
Aux mains blanches ou rouges
Puis c'est le tour de ton silence de glisser jusqu'à moi
Sur les carreaux de ces fenêtres qui nous séparent
Et le monde glisse de la nappe à la fin de la fête
Et le monde tombe de la blancheur d'une nappe
Et il est le sacrifice porté par le vide
Dieu lui-même ne peut retenir la pluie de la terre
La fusion des boules de cristal
J'étouffe de rêves étanches
Le ciel vient palper la vie et s'écrase sur mon front
C'est l'étau invisible de mes yeux tombants
C'est le poids irrémédiable d'amertume
Sans remède même pour le diable
Et il pleure toujours d'oiseaux le plafond
Il donne l'océan pour les gestes fuyants
Et les fleurs serpents plantes animaux éphémères
Le bestiaire de l'humanité
Et puis le vent qui enlève la chute des éléments
Peut-être moi aussi suis-je tombée du ciel
Et ma tombe tombe et les mots fermés
Je me suis tombée sans le faire exprès

Il me semble que des mains agiles
Tentent de retenir les mots et les choses
Qui virevoltent de la nappe blanche et bleue
Et qui tombent malencontreusement
C'est pour cela je pense
Que nous ne recueillons la beauté du ciel
Qu'en éclats morceaux et écumes
La chute la chute est longue jusqu'à nous
Et mises à part certaines étoiles impalpables
Je ne vois rien d'incassable dans les flaques d'eau
Rien d'incassable à ma portée
Encore une petite mer un petit soleil
À pleuvoir sur nous
Et l'air si plein de rêves d'espoirs concassés
Qui se posent
Et tous les océans se soulèvent en chœur
Comme la respiration qui ourle la femme
De reflets changeants
Comme les touches de lumière d'une nuit
Sur le monde incompris de lui-même incompréhensible
Sur le monde aveugle à son miroir
Et la nappe coule toujours des heures durant
La nappe du ciel qui donne le pain et la boue
Et les yeux de l'homme
Le ciel fermé des jours d'hiver
Le ciel de l'oiseau percutant le vide barbelé
Ou peut-être une petite mer
Ou peut-être un petit soleil astre vibrant
Qui sait ce que son regard a perçu

Avant l'étrange fracas de l'espace repentir
À présent sans cesse de vie
La mort a pris toute la place
Ses ailes noires ont inondé la ville
Je crois
Je crois que la vie est un non-sens simplifié
D'une botte céleste à une boîte en terre
Un trajet où l'on se fuit toujours
Pour ne pas se regarder finir
Et courir vers nulle part
Sous une pluie de rêves et de nécessités
Seule la reconnaissance
Seule la reconnaissance nous est offerte
Pour souffrir d'une deuxième moitié occulte

C'est avant de sauter dans le vide
C'est avant d'échouer
Que l'homme potentiel
A reconnu l'oiseau posé sur le macadam
Et sa petite médaille de sang autour du cou
Et du ciel est tombée une ombre plongeante
Pour repeupler la nuit d'un balcon

Le repas de Dieu sans doute
Et son vin sang du monde
Vivement le repos vivement la sécurité
Et la prière qui monte à ses dépens

Et maintenant la vie est consumée
La cire du chandelier a enflammé la nappe

Et la rougeur charnelle a empli le plafond
De flammes inédites
Voici poindre l'aurore et ses yeux irrespectueux
La vieille femme recolle des morceaux d'anges
Et d'arbres et de sable
Pour sa collection d'instants brisés
Son cœur est cassé mais à peine
À la peine déraisonnable de se donner du mal
Je crois que la peine de l'homme est inhumaine
Elle le dépasse pour toujours
À peine un silence À peine le jour trouble
Et dans les rues vides et incendiées
Elle avance comme elle peut c'est-à-dire comme une ombre
L'oiseau mort posé en croix sur le corps
Pour y dormir toujours des espoirs démesurés
L'oiseau d'un ciel qui a plu
D'un ciel couvert
La nappe d'un seul couvert
Et mes mains sont plus grandes que le ciel
Sur mes yeux elles m'occultent sa totalité
Et les ailes qui tombent des cieux raccommodés
Abrègent l'espace à tenir
Et le ciel n'a point de marges de sécurité
Le monde bascule au vertige à l'imprudence
Toujours l'unique mouvance balançoire

La vie mon image
Comme une réalité qui a reconnu son ombre
Et qui a pris peur et qui fuit sans comprendre

Il pleure le monde en transparence
Je n'ai que ce reflet de moi-même
J'ai touché le fond sacré
Le faux le faux plafond

Il pleut des portes des escaliers
Il pleut même des sorties de secours
Mais à chaque marche d'ascension
On s'enlise sable mouvant
Et l'homme est attiré vers le bas
Par un aimant naturel
Qui prédit la mort à tout bout de champ
Et le ciel jongle d'arbre en arbre
Mais les mains de l'homme ne peuvent pas
Le mener plus haut que le ciel
Quelle que soit sa promesse

La pluie du ciel
Et les mains en creux pour la recevoir
Pour nettoyer le visage du temps
Qui a traîné dans le sommeil et dans la boue
Pour abreuver les lèvres assoiffées

La pluie du ciel fantôme
Cristal de roche épieu aiguisé dans le cœur
Pierre dure des chemins vagabonds

L'enfance de l'art

Mon chemin du petit jour est un feu de braise
C'est un chemin contaminé par la brisure
Je me dois de vivre dans cette idée insomniaque
Aux grands yeux à gare
J'ai pris le train loin de l'enfance
Mais la vitesse a balayé le vent et emporté mon visage
Le roulis de la terre a concassé l'oubli
Aujourd'hui plus qu'hier me voici sans oubli
Et demain vient comme une ombre à perdre la tête
Qui vous reconnaît mais ne vous serre point la main
Oui j'ai pris le train enfant de la noce
La noce perdue dans la campagne muette
Je suis pour toujours celle qui a brouillé la piste
Avec ses petits doigts à mer
Et vous innocent dans l'histoire perpétuelle
Pourquoi ce silence autour de moi
Pourquoi ne m'avez-vous point fermé les yeux
Maintenant l'heure est en retard pour le départ
J'ai vu la main se tendre et le vide la désunir

J'ai vu le gouffre sous les pieds de la terre ferme
J'ai vu des yeux trop lents pour comprendre à demi-mot
Mon chemin du petit jour et ses rides d'expression
Comme une traversée qui falsifie mon unique mensonge
Et mes ondes mentent à l'eau
Elles ont navigué jusqu'au point de non-retour
Je suis l'enfant sans sourire
Et j'ai pris le train dans son horloge honnête
Pour ne point avoir à choisir entre toi et moi
Le choix est mort dans mes bras
Sous le tunnel d'obscurité
Aux yeux trous blancs

Pourquoi m'a-t-il fallu renaître après l'enfance
Et mon chemin si boisé d'arbres fous
Est tombé dans une cheminée au feu follet
Je me dois de briller au feu qui les éclaire
Je me dois d'allumer la poudre des pages éphémères
Je ne me crains plus à présent
Malgré mes doigts déliés de solitude marée dans la main
Il est écrit que je n'ai qu'à ramasser la vie par terre
Que je n'ai plus qu'à vous regarder dans les yeux
Les yeux bleus ou verts sur la pluie paroles pendues
Mais ce n'est plus cela qui anime mes pas
Il me faut trouver l'issue aveugle de mes mains
Il me faut palper l'espace que vous occultez
De vos regards indécents
Moi je suis l'enfant qui a perdu l'enfance
Par le hasard qui le plus souvent ne se fait pas attendre

Enfant qui malgré tout est condamné à son corps
À son enveloppe charnelle des jeunes années
Le train s'est emballé comme un cheval qu'on fusille
Et j'ai reconnu la vitesse et son front brûlant

Mon chemin est perdu quelque part en arrière
Il s'est emmêlé à des doigts inconnus
Qui ont sauvé mon corps que je n'ai point voulu
Il s'est emmêlé aux filets de pêche
Des regards trop haut perchés
Du cafouillage est née la vision absolue
De ce choix ignoble mais pour moi nécessaire
Où la vie a le reflet des yeux de la mère
Ce choix choisi entre mille autres
Ce choix haché aux lambeaux de mots
Ces mots qui m'ont fait perdre connaissance
Mais qui m'ont ramené l'oubli de ton sourire
L'enfance est partie d'une gare
Et ses bagages emportent le temps contaminé
L'horloge suppliante et les papiers incompris
Pourquoi n'ai-je point eu peur de ce que j'ai vu
Pourquoi le foyer ardent où je me croyais prévenue
A-t-il semé la neige à tire-d'aile avant l'hiver
Pourquoi ai-je supplié l'espace de m'affranchir
Je n'ai point le droit aux raisons coupables
Ni à l'innocence la plus parfaite
J'ai vu grandir les minutes comme des pièges abattus
J'ai vu l'inversion du monde comme un sablier retourné
Et je ne savais plus de quel côté je pouvais me regarder

J'ai reconnu mon chemin brisé à chaque carrefour
Mais l'oubli ne peut rien dissiper aux marges de l'avenir

Mon chemin du petit jour est ivre
Son rire a saccagé la permission de minuit
Je sais qu'il faut s'en retourner à présent
Pour délivrer les mains de mon enfance
Et le temps a avorté d'un soupir
Que je n'ai point donné à la mémoire visible
Mais des yeux partout ont disséqué mon silence
Et le rire jaune qui en a surgi en forme de ruines
A fait peur à l'enfant que j'étais
Il n'a pas compris je m'en excuse
Le tracé des lignes emmêlées l'a comme emmuré
Dans de jolis châteaux de sable inconquis
Je l'appelle mais il croit entendre sa voix intérieure
Comme une sirène mélodieuse du grand large
Aux yeux pluviométriques
Mon chemin longe les rives inconnues
Et le petit jour pointe à l'horizon pour finir
Je suis isolée dans l'enfant du départ
Et qui a appris à marcher sur les vagues
Avant même de comprendre la portée des flots
Je suis isolée dans l'enfance que j'aimais
Et ton visage revient sans cesse de nulle part
Pour mourir dans mes yeux
Et ton visage est conservé dans des châteaux de sable
Où le temps ne viendra plus de t'en retourner

Tabac blond

C'est un joli nom pour un parfum
Cela coule comme un songe poivré
Sur les sillons de la peau
Dans un champ grand ouvert
Un seul fauteuil pour l'isolement
Et l'arbre pleure un parfum
Presque d'un trait
Je ne suis plus dans la ronde des enfants
Aux têtes blondes
Cela coule comme une nage hors de l'eau
Poivre et sel ambre de femme
Dans un champ grand ouvert
Un seul fauteuil pour l'isolement
Et moi sans regard
Sur les plis des heures
Draps soyeux d'un lit défait
Les aiguilles des sapins lointains
Plantées dans la peau
Comme des cristaux d'images

Des longues-vues loquaces
Et l'arbre pleure un parfum
Bois du soleil
Des larmes d'orgueil doux
Un seul fauteuil pour la plaque tournante
Et la ronde de la chevelure du sommeil
Délicieux caprice
La discrétion soutient le voyeurisme
J'ai remarqué tes yeux
Sans te le faire savoir

Tabac blond
Le rire de mes poignets
Vases en fleurs plantés en terre
Cela coule comme une nage hors de l'eau
L'âge grandissant des feuilles parfumées
Tabac blond
Cigarette chaude du soleil planté en terre
En terre promise
Le glissement de la peau sur les rêves d'ailleurs
Aujourd'hui ou ailleurs
Le fauteuil unique place numérotée
Vol de soi sans les autres
Elle me tient la différence
Tabac blond
Mes poignets subtilisés
À ton contact hors du temps
C'est un joli nom pour l'abandon

Vol perpétuel
Rire des saisons confondues
En bouquet d'appétit

Le faux pas des apparences

Ne m'écoute pas
Je ne sais pas dire la vérité
C'est la vie qui m'a forcée au mensonge
Mais je ne crois plus à leur différence
La vérité c'est le mensonge contourné
Et moi j'en ai fait le tour
Pour t'apporter les ombres évaporées
Je sais que le vide porte une absence
Alors si je crois mentir
C'est pour respecter la neutralité de la vie
La vie aussi je l'ai détournée
Sans doute n'aimais-je pas sa lueur de doute
Je ne doute plus du mensonge qui apparaît
Il est si près de la vérité
C'est un camouflage d'intérêt
Et l'existence est la ligne la plus intéressée que je connaisse

J'ai appris à mettre mes yeux sans insistance
À la portée de tous

Mais pour toi il me reste à comprendre
La donnée de mon regard
Non ne m'écoute pas
Mon mensonge s'est faufilé à ton approche
Il n'est plus qu'une ombre rassasiée
Le poids du vide tué à bout portant
Tu me donnes la lucidité éphémère
Et le droit au franc parler
Pour toi seul je suis vulnérable

La façade de mes retenues a fait un faux pas
À présent je la contemple par ton rire
Ton ombre est là pour éteindre ma franchise
Au seuil de notre amour
Ta présence a ruiné le reflet de l'eau pâle

Pour toi seul j'ai perçu le contre-jour
Qui sied si bien aux mains tremblantes
J'accepte de revenir à moi
Après ce long exil
Mais seulement entre tes bras d'horizon
Frontière de mes apparences
Tu es le sursis de mes défauts d'apparition
Et je porte le mensonge haut et clair
Comme la preuve de ma nudité à tes yeux
Toi seul peux comprendre
Les ruines closes de mes approches
Pour toi
Je serai l'ombre émoustillée de l'eau qui dort

Les yeux plus gros que le ventre

Il y a ce déluge de mots que ma tête ne contrôle point
Puis il y a surtout ce fleuve de désirs inassouvis
Il y a ma vie qui souffle mise hors d'haleine
À l'aube avant même le réveil
Il y a il y a ma vie
Et moi à côté pour chaque jour
Prostrée dans le silence sans amertume
Livrée à une fatigue qui me dépasse
Ma vie a les yeux plus grands que le ventre
Mais qu'y puis-je si mon corps s'arrête en marche
Comme une machine que l'on a oublié de remonter
Me voilà en arrêt
Au bord des réalisations simultanées
Et ma tête continue de tourner à vide
D'imprimer des lettres aux calepins étoilés
D'entretenir les murs qui dansent
Parfois même mes pensées dissipent mon sommeil
Et le brument de voiles liquéfiés portés au vide
Mes yeux d'argile

La nuit ne doit point défaire l'esprit de veille
C'est tout ce qu'il me reste d'insondable
Je veille à mon corps las ici et ailleurs
Il y a ma fatigue à couper au couteau
Dans mes veines rôdent des superstitions
Du vent frais de hautes fenêtres
Ma liberté toute crue réside dans un défi à moi-même
Sans moi vous savez je ne serais rien
Et ce défi c'est de faire face aux miroirs ébréchés
Étoilés même
Et ce défi c'est de ne rien laisser paraître
Au front de l'oubli grimaçant

Mes yeux sont si lourds et mon âme est si pleine
Que faire du poids des mots qui abreuvent mes doigts ?
Que faire de ma vie si neuve ?
Et je l'échangerais là tout de suite contre autre chose
Ce n'est pas en abuser en désabuser
C'est fuir éternellement les regards glacés
Les miens uniquement
Les vôtres ne regardent que vous au demeurant
Que faire de la pression abondante sur mon cou sur ma nuque ?
Je ploie comme une légère ombre de moi-même
C'est fou voici mes joues collées à cet herbier
Et ces roses sans sève m'ont tout à coup écœurée
C'est comme les papillons encadrés et leur aiguille plantée
En cœur en cours de démonstration
Je ne peux plus supporter la vie coquillage sans mer
Sans plage algue d'eau douce

La vie en forme de décoration d'intérieur
Et c'est vous qu'il faudrait décorer
Redécorer même de certains ordres bien placés
Vous réfléchissez des sentences stériles
C'est pareil pour les animaux que vous empaillez
La mort ce n'est pas la vie suspendue
Isolée dans son geste initial dans son mouvement
Prise au hasard d'un face-à-face
La mort n'a rien de figé ni de plaqué
Ou alors je n'ai rien appris
La mort avance aussi
Mais avant il faut s'arrêter pour se regarder
Et attendre la lente dissolution de son corps
La vraie mort c'est de jeter ce corps aux orties
Sans sentir autre chose qu'un soulagement nouveau
Et prendre congé des fausses apparences
Puis des vraies qui les suivent de près
Comme des ombres fraternelles

J'ai hâte de laisser ma vie au vestiaire des dissonances
Et de mettre mon corps en consigne
C'est la nuance impalpable à mes doigts
Je ne serai plus que la portée des mots
Que la suspension du temps édifiant à jamais
Et j'irai de l'avant sans boulet de plomb
À mes rêves sans sommeil
Il faut changer le ralenti de ma voix décalée
Mais vous n'en saurez rien et je ris du stratagème
Qui étouffe vos complots d'oisillons dépareillés

Il faut m'aider moi-même
Avant l'épuisement entier de ma faim insatisfaite
Pourquoi y a-t-il en moi la force nécessaire
Pour déplacer des montagnes qui me sont inaccessibles ?
Pourquoi ce vide creusé comme une tombe
Comme un terrain de jeu pour des enfants sans ombres ?
Pourquoi cette richesse ce don de mes mains
Qui écrivent encore sans lendemain ?
Alors que ma vie s'abrège des heures durant
Alors que mes yeux tombent sans sourciller
Il me faut cette force qui m'abandonne
Il me faut la détourner la retourner vers moi
Je me penche par terre recouvrir la vie
Et dans la flaque l'écho rouge me rappelle mon sang
Quelle épreuve couronne encore ma tête évadée
Comme une épée de Damoclès qui tombe goutte à goutte
Je me le demande sans trop grande insistance
La preuve : je n'ai pas mis de point d'interrogation
J'ai pris le parti de vivre au-dessus de mes possibilités
Il faudra alléger mon corps pour innocenter la marche
Et faire semblant de manquer de courage
Je m'isolerai aux rives de mon sang lisse et plat
Torrent gisant pourtant si beau la nuit tendue

Et ma fatigue intarissable
Ne prendra jamais le dessus au miroir
Plus que tout je veux être digne de sauver les apparences
Plus que tout je veux rire à ma glace feutrée d'abîmes
L'ombre de mes pas est immense

Et mon bras a la lourdeur de l'enclume
Pourtant il m'est donné d'avoir à soulever
De larges pierres des blocs de granit brillants
Ils ont dû se tromper dans l'équilibre des forces
Tant pis pour les jours sans promesses
Tant pis pour les lassitudes véritables forteresses
Attachant mon corps à sa vérité entrouverte
Mon ombre s'est rachetée
Et mes mots que j'écris adoucissent mon silence
Ils m'épargnent un destin en vase clos
Et si je parle de moi
C'est pour ne point me laisser filer à l'improviste
C'est pour me mettre à défi d'indécence
J'ai les yeux plus gros que le ventre
C'est vrai
Mais je ne peux tout de même pas rétrécir le paysage
Aux dimensions de mes faiblesses
J'ai un miroir dans la poche
Pour le jour de ma différence
J'ai un miroir en moi toujours
Pour fluidifier les veines ouvertes
Et j'attends le rouge ondoyant des cheveux
Le vol prématuré de l'équilibre
Je veux jongler avec moi-même
Pour casser les images d'hier
Qui encombrent les poches de mes yeux
Il y a des gens qui ont la lucidité de leurs intérêts
Moi j'ai celle qu'il me reste
Je suis un peu comme un condamné à vie

Qui ferait ses petits paquets tous les matins
En prévision d'une libération prévue en tête
Je suis aussi un peu l'incarcéré qui se repent
De son évasion avant même de l'avoir planifiée

Mais ma vie à découvert
Ma vie sincère à son cri
Et tranchante au mystère
Mais ma vie sans concession
Ma vie à l'abri de mots
Tout cela ne tient qu'à un fil
Et je le tends entre mes mains
Jusqu'à l'aurore divine
De paraître puis de disparaître
En alternance
Avec le souci plus que légitime
De voir venir
Les pointes d'effractions
Les limites des cieux rehaussés
Ma vie synthétique

Il n'y a que l'ombre d'indétachable

Revenons au devenir

«Ce printemps des cimetières
qu'on appelle l'avenir»

Louis ARAGON

Tu as pris de moi chaque jour
De quoi partir
Et que t'importent les entrailles délaissées?
Il faut noyer les sursauts du rire
Dans les bas fonds de l'eau courante
Je possède un élixir de vie
Délivré à des nécessités fantasmagoriques
Que tes mains éclairent d'une fumée neuve
Je possède la fuite désespérée
Et la longue-vue des murmures graves
Tout l'attirail du rêve reconstitué
Joli éventail filtre de l'air
Afin de cacher les paroles à malice
Qui ne prennent pas les regards des passants
Tu as pris de moi chaque jour
La nuance qui s'envenime
J'ai si peur du devenir
Que tes fleurs ne mourront jamais
Dussé-je y racoler mes lèvres

En volte-face
Il y a en moi une ombre détournée
De son socle souverain
Et une fenêtre ouverte
Bâillonnée de l'extérieur
Tout cela est bien trop grave
Pour être perçu à la surface
Et ces mots mêmes
Ne démentent pas ma filiation
J'ai besoin d'abandonner le frein
Qui ronge le sort
Si tu pars évite mes courants d'air
Il est des couloirs impénétrables
Au battement de mes yeux
Je te défie de reconnaître ce qui m'isole
Je te défie les tombes inconnues vacillantes
Je te défie de te perpétuer au-delà de la moisson
Le défi du rêve et de la réalité réunis
De la gravité gravité gravité
Les lois de la gravité
Ton sourire sans fin
Revenons au devenir
Assez

Les antichambres du silence

J'ai oublié d'anticiper la nuit
C'est un péché qui peut me compromettre
Que dire de mon abandon au profil déchiré ?
Je ne sais pas vraiment la rupture honnête
Les objets trouvés vont de pair avec la perte
Et les mains s'engouffrent dans la matière
C'est une navigation défaitiste
Si tes mains t'effraient que dire de ta raison
Homme triste d'une trop noble tristesse ?
Je soupire en vain au front des vitres éclaboussées
Les mains se pendent au cou fiable du réel
Pour maîtriser leur don de voyance
Suprême espoir sur cette terre partiellement dépeuplée
Il faut croire en la survie de la création
Consignée aux objets trouvés
L'homme sur sa route sait les reconnaître

Il lui faut à présent souligner leur appartenance
Rien en ce monde ne vaut les profils fuyants de l'art

Mais sans scrupules l'homme a calqué ses traits
Et ses mains se renseignent éperdues
Sur leur portée expérimentale
Quiconque se relève est tombé du ciel bleu
L'art c'est peut-être la vertu de recueillir l'instantané
Puis d'arracher ses limites aveugles
L'art c'est à mes yeux redonner la vue
Aux fronts immaculés qui sommeillent
Et si je pousse au loin le fil de mes pensées
C'est de retroubler la voyance qu'il s'agit
Pour émoustiller sa grandeur naturelle
Si je te donne mes yeux reconnais leur désertion
Si je te donne mes mains respecte leur escapade
Il faut partir l'art renie l'immobilité tangible
La fusion des rêves vient à nous tout le jour
Juste un mouvement à lancer dans le vide
Et la pensée est une fleur de verre
L'homme connaît pour chacun de ses espoirs
L'éclat provoqué

Entre deux miroirs il a congédié ses frères
On a la faculté de rester seul avec soi-même
On a la possibilité de séduire la beauté factice
Il se pourrait qu'on repeuple dès hier
Les antichambres du silence
Et ses bouquets trop touffus pour la vision partielle
L'inspiration est l'étoile géante des parquets
Et la lumière n'est que le filtre du soleil rapace

Ses ailes sont encadrées sous vide
L'accès variable à la libération vacante
Procure ce que le bonheur regarde avec convoitise
L'exercice est de lancer ses mains par la lucarne
Et de descendre à toute vitesse l'escalier mou
Pour les rattraper au filet coupant du désir
Un jour une nuit elles s'animent et se volent
Les marches vous laissent glisser sur papier de soie
Et dehors la terre est transparente et glacée
Les lueurs pâles du ciel fermé sont évanescentes
Tout restitue au rêve sa part de surréalité
Vos yeux reconnaissent leur substance meurtrie
Et avalent le prix à payer
Dès cette initiation vous savez que lorsque l'heure retentira
Vous descendrez échevelé les marches ascendantes
Pour calmer vos mains dans l'eau trouble
À jamais elles seront le reflet troublé

Il y aura bien sûr les jours proscrits aux frontières idéales
Où la boue seule restituera la pureté de vos gestes
Où le sang des murs vous avouera sa mortalité
Et tout en parlant il découpera votre visage
À l'annonce d'une souffrance ronde
Les antichambres du silence aux lucarnes boules magiques
Mènent tout droit à l'approche artistique
Et quoi qu'on y cherche et quoi qu'on y trouve
Si la chance se ramifie et se perpétue
L'aurore est levée de serrer l'étreinte

Les murs se désastrent posément
Vous récoltez les cultures d'oubli
Vos mains plongent dans l'eau alternante

Ton ombre billet doux

Ton ombre est décorée du sourire des ténèbres
C'est le trophée de la peau qui disperse la folie
Ton ombre est ombre au-delà des apparences insinuées
Ton ombre est sa propre violence aux rayons déteints
C'est ma main qui met la nuit sur ton corps
Ton ombre est la marche de tes pas dans l'encre
C'est la nappe d'huile qui allume la lampe
Le soir où tu règnes dans l'espace lacéré
Ton ombre m'enseigne ta marche libre poignante
J'ai un poignard dans les côtes à mourir d'un visage
Ton ombre c'est déjà bien plus que la mort
Il semble que l'avant-goût de la diversion
Ait salé ta bouche comme une mer à boire
Ton ombre épure les touches mortelles dans la vie
Elle a acheté mon silence de tout son poids
Ton ombre est la jetée d'où se lancent tes yeux
Tes yeux billets doux écriture rouge de sang
Les heures épanouies et disgracieuses mêlées d'abondance
Tes bras reviennent toujours au creux sans écho ni voix

Où sommeille le toit du monde sans se poser
Ton ombre est un point de repère sur mes murs
Comme la mousse des arbres se tourne vers le nord
Ton ombre est la pierre sur laquelle je trébuche
C'est le roc soudain liquéfié et fuyant
Ton ombre c'est ton corps perdu
Ton ombre c'est dire si je t'attends
Comme un reflet sans appartenance
Ta mémoire fixe des tours à l'aube ronde
À la lueur blafarde de la lune artificielle
Ton ombre est le faux pas jusqu'à moi
Ton ombre cela fait lourd sur les fleurs
Sur lesquelles nous nous épanchons
Cela fait dense sur la nuit qui crispe mes yeux
Ton ombre et ta présence qui la suit de près
Les yeux à ta fenêtre
J'ai reconnu l'air ambigu
Ton ombre invincible sa voix mourante
J'ai reconnu ta peau doublée de pluie
Il fait froid replie ton ombre sur mon front
Replie ton ombre l'enveloppe de nuit
Il fait frais à ta respiration ambiante
Quel manque en toi ne puis-je point combler ?

Le ruban exaucé

Esprit délié en ruban
Marbre d'une pierre
En main
C'est un escalier évasif
Aux marches de verbes
Esprit descendu en flèche
Au bord de ses abords
En vain
C'est un monde sensitif
Aux audaces d'enfant
Je te cherche
Je te trouve
Aux labyrinthes des mots
Aux rythmes des figures
Je te perds
Par le renom des étoiles masquées
C'est l'élan qui finit
C'est l'élancement continu
Des rubans aux cheveux

Le vent décapite les cimes hautaines
Parfois l'incendie descend à mes pieds
Esprit mon vent sans répit
Qui martèle l'horloge charmante
Des fins qui recommencent

Esprit du non-dit qui résonne
Comme un écho poitrinaire
Tant de choses tombent entre les lignes
Que l'escalier se dérobe la marche

C'est le crayon de la lampe
Qui trempe sa mine bohème
Dans le sang de la lumière

Esprit devenir
Revenir en chemin
Sur hier tempéré
C'est une glace sans tain
Où les yeux demeurent immobilisés
Je te plains
De toucher du doigt
L'agonie des fronts sanglants
C'est le rouge des pensées avortées
Esprit pour un jour à venir
Il faut te perdre et te brûler
Comme une torche de papier
Aux signes de charbon

Esprit vaste marge
Styx merveilleux en attente
De flots revitalisés
Tu prodigues tes mains
Au soin de l'indigence
Quiconque te cherche
Exprime son défaut de pauvreté
Quiconque te trouve
Ennoblit la solitude voulue

Les yeux vides
Des oiseaux de nuit
Pour des cages à double fond
L'attente n'est jamais la même
Jamais semblable
Je me drape au sursaut d'une plume
Et plus que tout
Je crains l'eau intacte
Sans tracés temporels

Où écrire les signes
Ailleurs que dans le marbre
D'un esprit lancinant?

L'appel est lancé
Au vent des rubans voués
Mon marbre est constellé de sable
Au large d'une montagne

Tout vaut la peine d'essayer
C'est une contagion nécessaire

Esprit unique horloge candide
Il te faut étouffer entre tes mains
Et mener la danse du corps
Jusqu'à sa fin

Esprit chemin de traverse
Et si je regardais de travers
Une fois pour toutes ?

Tu es l'appétit de charbon
Noires marches silencieuses

La porte sans bruit

L'insomnie des corps
Délivrée dans de sordides paroles sans appel
Je me retiens de t'aimer davantage
De filtrer l'espace de mes mains continues
Mais déjà tu berces l'insomnie de ton sommeil
Mais déjà tu arrêtes mes manœuvres en plein vol
Rien de moi n'est plus une attente
Aux rivages des mots trop longs en bouche
L'insomnie des corps
T'a comme éloigné de l'impatience
Et mon nœud palpitant et ma boule ronde
Des haut-le-cœur des ardeurs éventrées
Qui me fait respirer comme on pleure
N'appelle plus le souffle continu de tes lèvres
Jamais je n'aurais cru qu'elles seraient orange amère
Inconstantes à mon passage
Tes lèvres tes lèvres à se tourner vers moi
Je ne suis plus sûre qu'aujourd'hui tu te retournerais
Je ne crois pas aux battements de cœur à ma porte

Et tout cela je le confesse aux murs qui m'enserrent
Tout est devenu trop vide trop fermé pour moi
Ma chambre est une souffrance gaz carbonique
Mes respirations sont sous cloche
Nous voilà dispersés par un petit fil d'attente
J'ai mûri le soleil qui bat ma raison
Il peut tomber sur moi par l'éclat d'un orage
Que tu donnes au silence
L'insomnie des corps tombe à pic
Mais déjà tu n'as plus le vertige
Je me suis assise au pied d'une porte qui mène à toi
Mais pour une fois je devine qu'elle est fermée de l'intérieur
Et que le temps ce goulot d'étranglement
A semé par inadvertance la clé
À ce drame discontinu
De vivre l'amour contre toute attente
De vivre l'amour sur la terre comme au ciel

De vivre l'amour alors qu'il ne se laisse pas vivre

Visages décalqués

Et s'il me fallait revivre
Je voudrais être anonyme et pluriel
Je voudrais être les autres incluant moi-même
Moi-même incluant les autres
Et s'il me fallait revivre
Je voudrais n'être que mille fois les autres
Mille fois moi-même
En jouant avec le temps comme avec un élastique
Qui revient toujours en place
Je voudrais que vous me regardiez
En me remplissant de vous
Je voudrais vous continuer toujours
Des promesses que je n'ai pas tenues
Juste un fil soyeux de votre chevelure
Avant de retourner à ma poussière d'oubli
Votre vie instantanée révélée enfin
Hachure du temps pressé
Mais on frappe déjà à ma porte
Délivrez-vous de moi

Il m'est impossible pour cette vie
De vous appartenir
Et s'il me fallait revivre
Je voudrais être un miroir
Pour une minute sonore
À me laisser de glace humaine
Glissez sur moi sur ma vie première
Je ne suis que du papier écorché
D'un roman incompris
Et ce roman
C'est ma main qui cogne à une porte sourde
Et qui ne comprend le bois que par les arbres
Le marbre par le sable
Le verre par un même sablier du regard
C'est ma main qui court à sa perte
En chantant des refrains d'enfant
Sur un chemin de sable et d'arbres
C'est ma main qui dessine
Ses propres visages décalqués
C'est ma main sans retour
Sans retenir

Visages d'hier et d'aujourd'hui
Tant pis pour la vie qui coule amère
Je serai le miroir palpitant
Je serai le miroir qui s'arrête à son image
Pour le sourire d'une femme en serre
Pour la grimace maligne de l'enfance
Pour le rire éclaté et vulnérable

Qui frappe en cœur
Pour les heures semblables qui reposent en paix
À l'ombre des cils démesurés
Je serai ce que vous donnerez d'être
Je serai votre reflet d'apesanteur
Votre existence d'un souffle renversée
Visages d'hier et d'aujourd'hui
S'il me fallait vivre de vous
Par une main que l'on tend au départ
De l'autre côté de l'apparence
Je serai le miroir de ma mémoire revenue
Vos fleurs surprises par l'éclat d'une fenêtre
Percée à vif
Vos mots d'amour qui ont le regard de vos yeux
Je serai la femme inutile d'attente
Qui se ressemble à chaque page lue
Je serai l'homme qu'elle aime
Qui a un arbre entier à sa boutonnière
Il s'arrête devant son visage inquiet
Pour recoiffer les oiseaux indisciplinés
De ses cheveux champêtres
Je serai les yeux de l'âge
Et de la canne qui allonge les doigts
Vers la vieillesse souple et lézardée
Aux chambres closes et sentant le renfermé
Aux places marquées de l'amour
Je serai le miroir des instants fanés
Du reflet de soi-même que l'on attend
Pour éparpiller les ombres tombées

Je serai plus que tout
La vie qui se remémore
L'instant où elle se guette
Par la fenêtre trompe-l'œil
Trompe la chance
Visages d'hier et d'aujourd'hui
Qui n'ont que vous pour se distinguer l'un l'autre
Visages pareils au sourire aux larmes
Faut-il vous reconnaître
Ou vous absoudre ?
Je serai émotion candide
Travail d'orgueil
Levant vers vous l'ombrage
Des syllabes intérieures
Miroir d'hiver tout de suite après l'automne
L'enfant qui file de ses mains intactes
Les feuilles qui tombent rassurées du vertige
Je serai la femme à ses bijoux
L'homme à sa marche de cailloux
Je serai votre mémoire d'une nuit
Les cristaux de la lampe vibrant à votre peau
Je serai votre geste effrayé
Si le visage ne tient pas en mesure
La valse teintée des langueurs de vie
J'aimerais être ce miroir
Sans mensonge et sans haine
Qui décalquerait votre visibilité
Dans l'eau figée et neutre

D'un papier vierge où vos doigts n'ont pas piédestal
D'un papier blanc pour chaque page d'un livre
Ce livre ouvert à votre place
Je serai l'encre sympathique
De vos amours éphémères
Tant pis pour la vie qui coule amère
Comme un vin trop fermenté
Qui se dissipe en parfum charnel
Je serai l'horloge
Qui bat comme le cœur
À la vitesse irrationnelle
Sans amertume sans rancœur
À la douceur de ramener à soi
La permission de vivre
Chaque jour
Comme si demain
Ne devait surprendre personne

Miroir silence d'amoureux
Qui se noie dans un bain de semi-lucidité
Comme la semi-clarté du jour
Miroir d'une femme en fleur
Avant même le printemps d'apparition
Reflet décalé d'une image d'enfant sage
Et le retour du souvenir
Comme l'annonce du temps à mourir
Comme l'aube du lendemain
Fruit mûr à la table des repas
Comme le regard dévorant

D'une simple main dans une autre
Miroir tu es le temps parallèle
Celui de se voir vivre
Miroir aveugle à la canne blanche
Miroir des fruits exaucés en fleurs
Voici la chronologie brouillée
Miroir d'un amour sous-entendu
Miroir de l'instant vif éclair
Qui ombrage le ciel de trop de pourquoi
Miroir livre sans écriture
Peut-être vaut-il mieux
Demeurer sans comprendre

A penny for your thoughts

A penny for your thoughts my love
Une pièce à l'eau
Pour te dissuader d'y plonger
Comme une parole à rompre la glace
Je fais collection de larmes
Dans une boîte à musique asthmatique

A penny for your thoughts my love
Je te partage mes mains
Qui ce soir ont si peur
De leur propre insistance
Je fais collection de perditions
Pour ton revers glacé qui nuit
Qui luit soudain dans la nuit

A penny for your thoughts my love
Toi aux mimes et gestes désenchantés
Sur le volcan en sommeil
Où tu as couché mes illusions de braise

Et ta chaleur ravive la flamme
D'un bougeoir pour écrire

A penny for your thoughts my love
Pour isoler ta lune de jour
Qui t'occulte les yeux béants
J'ai si faim de ta bouche
Que la mienne tombe en désuétude
Je fais collection de mots insensés
Dans un coffre-fort percé de clés des champs

A penny my love
A penny for your thoughts
La plage est déserte de mer
La saveur aride a desséché mes pas
Dans le sable ébréché
Un verre à ma bouche
A éclaté sous pression
Je fais collection de larmes
Cueillies à fond de cale
D'un bateau déboussolé

À peine my love
À peine un mal de cœur

Cerise d'eau de vie

Une vie en boucle
Pour revenir toujours au point indécis
Qu'il a fallu admettre et déchirer tour à tour
Une vie en forme de mémoire
Semblable à ces lettres que l'on a renoncé d'écrire
Une mémoire à envoyer au hasard
Comme une feuille blanche dans une enveloppe
Parce que les mots ne se laissent pas enfermer
J'ai bien failli remplir l'irremplaçable
Mais mes mains ont fait halte au sort
Une vie jolie boucle de rêve
Qui fait mal aux fractions des artères
Autour du saint collier du cou
Fait pour les gouttes de la voix
Une vie comme une fontaine sacrée
Où viennent se baigner les oiseaux
Aux ailes trop larges pour respirer
Le jour est tombé à la fenêtre
Où parfois tu viens rejoindre mes yeux

Et la vision sait communiquer en arrière
Plus jamais je veux me souvenir
Des heures où je n'ai point vécu ma vie
Une vie cercle pour luner les mains
Les mains trop promptes à vieillir
Et à se veiner comme des feuilles anciennes
Une vie en cercle vicieux
Pour faire toujours le même tour
D'un même manège aux étoiles peintes
Une vie rarissime
À la limite des ombres reconstituées
Terrain de jeu pour le « qui perd gagne »
J'ai revêtu l'illusion
Comme un manteau trop court
Et voilà un hiver pour le froid intérieur
Pour les glaces des ruptures du jour
Et tout linceul est le drap du corps
Pour des bottes de cristal
Pour un sommeil à l'œil grisaille
Une vie cirque dantesque
Pour des clowns tristes

Et ma main se souvient de contacts éphémères
Qui en disaient long sur l'obscurité
Sur l'épaisseur sublime de draps aériens
Une vie une vie pour chaque heure
Et pour chaque retombée sans bruit sans bruit
Une vie plafond d'une chambre
Où l'on a aimé plus que tout

Et où l'on revient un peu perdu un peu étranger
Un peu aveugle aux yeux tricheurs
Où l'on marche à l'arrêt sans laisser de marques
Sur le sol sablé des accords amoureux
Une vie plafond où les regards s'enlisent
Avant même d'éclore de leurs douleurs
Une vie qui s'écoule sans rougir
Parce que demain est facultatif
Une vie guide de solitude pour les initiés
À l'aube des désirs communicants
Que l'on épelle à deux voix
Une vie court-circuit
Et les veines en repos qui ont l'air
De s'ébattre à fleur de peau
Une boucle pour frémir de l'eau sans mémoire
Où le front se rafraîchit de conspiration

S'il n'était qu'un souhait qu'un sourire
S'il ne devait rester qu'un entracte
Aux rêves les paupières lourdes au loin
S'il n'y avait plus qu'un enfant
Accroché à son ballon rouge
Pour perpétuer le vol des cerises aux arbres
Et pour défaire les cheveux des petites filles
Qui déjà ont la pudeur de ne pas rougir
S'il n'y avait plus qu'un enfant un seul
À revendiquer l'innocence
Cerise d'eau de vie
S'il n'était plus qu'un ange usé et fautif

Aux prières du soir qui joignent les petites mains
S'il n'y avait plus qu'un unique espoir
À aimer le temps qui s'abandonne
Au lit de sève et de fruits
Eh bien pour l'audace suprême de vivre
Levons dès aujourd'hui des fusées rouges au ciel
Pour signaler la présence oubliée
De la main sans appel
Une vie une vie pareille à elle-même
Au bon souvenir des gorges profondes
Où retentit l'écho des temps pressés
Des temps qui ne font que se répéter
Comme des 14 Juillet à chaque année
Les temps à s'entêter en moi

Une vie suffit pour disparaître
Comme on est venu
Avec en poche quelques alibis de bonheur
Avec en tête la folle magie de lassitude
Qui engourdit la marche
Avec des mains pleines et douces
Au profil d'écume de jour
Avec cette échelle de rêves déterrés
Pour aller plus haut

PERSONNE

Entre deux portes
Un ange qui passe
Avec ses ailes d'ébriété
Avec ses oiseaux de visages
Et moi
Et moi je ne dis rien à personne
À personne
Du manque qui sèche la plante
La plante grande comme la main
La main de personne
Et moi je ne dis rien
De ces mots à redire
À dire à personne
Personne personne
De ces songes au creux de la porte
Porte porte mon cœur
Aux demi-ailes du silence
Et les portes claquent
J'ai des courants d'air bâtis

Bâtis à fleur de paroles
Ma bouche sèche
Comme après la pluie
Comme après le vent
Le vent de te revoir
De refermer une porte éteinte
Cierge d'un antre sans prières
Prières pour tous les mots du monde
Cachés cachés
On a jamais la totalité d'un sourire
Pour soi seul
Jamais jamais personne
Personne personne jamais
Ne passe au creux de ma gorge
Le pas des mots que je connais
Entre deux portes
J'ai tiré ma révérence

Je n'y peux rien
Tu pars
Comme tu reviens
Les mots en bouche
Le cœur désert
Désert de marche
Et le silence continue
Sa longue avancée
Comme dans un cloître
Où l'on respire à peine
Pour ne pas déranger

Pour ne pas déranger
Le silence
Qui remplace tes bras
Autour de moi
Un ange
A oublié de se retourner

Un mot sans fin

À ta guise amour en lame
Lame larme alarmante
Au tranchant de ta main
Qui coupe le temps
En lambeaux de pauvre
Comme un habit
Surpris par le jour
Replié sur une chaise
Où plus personne ne s'assoit
Pour regarder le vent léger
Des fenêtres condamnées
J'ai un pli du regard
À hauteur de ta douceur d'acier
Acier comme la lame fine et dérisoire
Des mots à saisir à la gorge
Et à couper couper d'éternité
L'éternité maintenant
Me rappelle qu'il faut vivre
Sans s'en apercevoir

Demain c'est déjà trop tard
À ma larme alarmante
Aux couloirs qui regagnent la mer
Pour effacer les avancées de sable
Acier d'une main profonde
À regagner mon enfermement
Assieds-toi à ta guise
Au chevet de mots suicidaires
La lampe est allumée
Avant même d'avoir écoulé la nuit
À ta guise mon amour
Il faut revêtir l'habit de pauvre
Aux lames d'argent de lune
Avant que l'astre n'atteigne
Son infirme piédestal

J'ai caché mes mains au visage
Pour te toucher des yeux

Chacun notre tour
Nous avons le droit
À un mot sans fin

Le lundi 6 février 1989

Rien n'est plus difficile à écrire que les derniers mots d'un livre. Alors disons simplement :

Ci-gît la dernière page d'un livre
Qui est insolent et grave
Comme un enfant qui a volé un bonbon
Pour le plaisir

★

Le point
Si petit soit ce point exquis
A mis la nappe blanche

La moisson d'herbes folles
Pour un si doux point final

Ma main est arrondie
Comme un ventre creux

Ma main est épinglée
Si petit soit ce point exquis

Ce point final

J'ai écrit suffisamment
Lentement
Le flux de mes mains

Pour abréger le silence
Qui va de la mort au soleil

Tout ce que mon front
Porte en vagabondage
Va de ma main
À la tienne

Le point
Comme une tache
Du plein ciel

À creuser dans la boue

Elle est nappe blanche
Ma faim

Si proche de la fin réelle

J'ai fin.

L'INFINI MOINS UN

Comme c'est étrange !
Il me faut commencer par ces quatre mots
Ce sont des paroles qui frappent à mes tempes
Lisses comme une nappe rouge

Comme c'est étrange
Cette mémoire pour tous les jours
Dressée ou mensonge
Petit chien savant
D'un cirque futile

Comme c'est étrange
Cette vie sans lendemain
Tous ces passants
Qui perlent à reculons
Dans ma tête

Parfois
Je vois passer les trains

D'une folle horloge
Et des mains me reconnaissent
Alors qu'il n'y a point
Matière à reconnaissance

Comme c'est étrange
Le monde en forme de bille
Vous me dites
Que le jeu vaut la chandelle

Et moi qu'ai-je
Qu'ai-je à vous offrir
Si ce n'est une plume d'oiseau
Qui a envahi ma main

Et encore
Je ne fais que tisser
Les draps de nuit

J'ai les yeux
En forme de départ

Comme c'est étrange
Cette vie pour vous et moi
Dressée à tuer
Tous ces quais de gare
À nous attendre

Comme c'est étrange
Demain trahit toujours

Souviens-toi mon amour
Il y avait des lacs gelés

Mais aujourd'hui
Ta main a fondu dans ma main
Et l'eau a étouffé mon visage
Comme une liane d'écume
J'ai glissé jusqu'à toi
Et tu as soupiré des mots
Incapables de traduire
Le gel des yeux fuyants

Ta main a fondu dans ma main
Et je suis là à attendre
Je ne sais quel miracle

Aujourd'hui la vue est à l'envers
Et les portes coulent sous l'eau
Je suis l'abandon
De ta main dispersée

Le 10 février 1989

L'attente du vertige
Est une main de fer
Une poignée de main
Qui fait se recroqueviller
Les petits enfants

J'ai à te dire
Le silence de la folie
Qui assaisonne l'écho plaintif
De la vie à prendre ou à laisser

Je rêve de devenir
Mais déjà l'enfance
Est venue me prévenir
De l'existence
Rivée à son attente

Main de fer
Dans les cheveux fous

Des petits enfants
La porte s'est repliée
Pour mutiler le silence

Mon attente est là
À m'attendre
Comme un vertige plaqué à terre

Je marche à vide
Dans ma propre tête
Comme l'aiguille d'une horloge
Qui aurait conscience de sa rotation
De son tour mutilé
Je vis dans un hiver
Aux migrations solaires
Je marche à vide
Passant sous les ponts
De ma mémoire limpide
Je ne veux plus voir
La lumière du jour
Les barreaux de ma cellule inédite
Ont dispersé mon nid d'amour
Plus que jamais
Mon esprit trace des tours
À la poursuite de l'avidité
Il faut être devant soi
D'un regard espiègle
Et sensiblement étranger

Je marche à vide
Comme la noyade d'un souffle
Ce souffle passé que tu n'as pas connu
Si je te dis qui je suis
Promets-moi de ne le dire à personne
L'homme n'a jamais qu'un secret
C'est celui de sa solitude
Qui vient avec la vie
Parfois je supplie mon intuition
De m'abandonner un temps
Pour me rencontrer
Dans les yeux qui m'abritent
La mémoire cette anguille
Des cailloux de l'eau légère
La mémoire est le rempart
Le corset mystère
De ruines constellées

J'ai oublié le mot de passe
Pour vérifier le passé
Il ne me reste plus que la filature
De mes mains à regret
Ainsi le repos s'aiguise
Et je devine mieux le sursis
Qu'il me reste à gaspiller
Comme on brûle une allumette
Dans le noir apparent

La fumée a revêtu
Son habit enflammé
Ma main a mérité sa vétusté
Des premiers jours
Et la fumée s'envole
Vers de lointains sourires
Qui ont creusé une brèche dans le mur

Et la fumée
N'est que celle de la brûlure
Qui adoucit le pli de lune amère
Est le feu dilué d'une ombre
La seule ombre au tableau
Pour ma part
La fumée vient de loin
D'aussi loin
Que la marche pleine
Des enfants fous
C'est comme un rêve
Pris par la flamme
Il est temps que mon esprit
Parte en fumée
Et que vous le saluiez
Au passage
Parfois je ne m'en veux pas
L'air est si doux
Ma main de feu mon absence
Il est encore possible
De ne pas revenir en arrière.

Le rire

Cette convulsion neuve du bonheur
A effleuré ta bouche
De sous-entendus

J'ai porté tes lèvres
Demi-ramures des arbres
En guise de mes pas

J'ai dit pas
Pas une fois le rire
Ne peut semer de l'illusion
Aux grands champs de vivre

La lune à demi lune
A sombré dans un alcoolisme
Tempête de mirages
Miroirs des petites filles

À demi morts
Le sommeil nous emporte
Et tes bras renoncules noires
S'enlisent en terre de bruit

Le rire à l'angle de la rue
Au cheminement d'une gorge
Infime corde raide
À dépêcher l'angoisse
De n'être à jamais
Qu'à moitié morts

Qu'à moitié vivants
Si peu d'amertume

Le 19 février 1989

Ton silence
Épais manteau de ronces
Où s'enlace mon visage
De tes mains de tes ombres
Roule comme une boule de feu
Que mes doigts ont polie
Sur une pierre
À l'angle d'un mur
Qui ne m'appartient pas
L'heure est fausse
Comme une marchande des quatre saisons
Aux lèvres écorchées
L'heure est au mensonge
Un couteau a ouvert les livres
À la même page
À la même clôture de jardin
Ses mains sur les feuilles
Ont occulté la parole
Elle s'en va perdue et délaissée

Demander l'aumône
Aux creux des mains sans appel
C'est le miroir qui m'a renvoyé
Ton silence
Nue et pleurs
Une statue dévorée par le lierre
Appelle les oiseaux tristes
Qui ne viendront jamais

Ton silence à verser
À corps et à cris

Le 13 mars 1989

L'illusion s'est dépareillée
De son costume scintillant
Elle s'est envolée comme un oiseau lumière
Que l'on suit du regard
Bien après sa chute du haut réverbère
Bien après que l'horizon a fermé sa boucle
Comme une bouche serrure
Pour un trousseau de clés perdues
Le rond chapeau du jour à venir
Ne couvre plus les têtes soupirs
Nous entrons dans l'aire du soleil noir
Tout cela n'a plus rien à voir avec demain
Et son joli jardin orgueilleux
L'illusion comme un voile des grandes eaux
Pour les beaux yeux d'eux-mêmes
Une corde sans prétention apparente
Pour les belles mains déguisées
Le maintien convenu de bonheur
A fait avorter la compassion

Le doux scintillement des paupières vitales
L'illusion mère heureuse
Des rêveurs de bon matin
Il est temps de marcher sur la corde raide
Où le regard bien au-dessus du vide
Fait des pointes de danseuse des entrechats
Dans une boule de neige
La buée est fixée sur son propre prestige
Fantasio dit que la tulipe rouge est bleue
Moi je dis que cela dépend
Du vent de la feuille
Laissez-moi vous n'y pouvez plus rien
Laissez-moi rester dans l'arbre vert touffu
Je me force à ne pas comprendre
J'ai peur de me rencontrer en bas
Et de reconnaître cette peur en moi
Boucle de la boucle en bouche
Je ne sais plus comment repêcher mes mains
Dans cette nuée d'oiseaux traîtres
D'ailes écœurantes

Le rêve est attaché à mes longs cheveux
Même tes doigts perdus ne peuvent le décrisper
Même le peigne fin de la vie ne peut balayer
Cette once incorrigible d'attente

Le jour a emporté une page de vent
Le réveil précoce pour nous deux se ressemble
Il soulève doucement la fumée des mains
Qui part comme un oiseau sans cage
Comme un oiseau d'un quai de gare

Le rêve est attaché à mes longs cheveux
Et effleure parfois mon front
Puis ma bouche des longs déserts
Une bouteille d'eau de vie attire la lumière
Et je vois disparaître des papillons
Dans le liquide brillant et suave

Il faut boucler le bagage du voyageur
Ses pieds s'enlisent vertement dans l'ombre
Mais l'attente a disparu
Comme une chanson d'enfant devenu grand
Je ne saurais pourtant te désirer plus fort
Tu coules le long de mon dos
Dans un frisson d'eau pure
Qui glisse en moiteur exquise

La maison est ronde
Pour le tournoiement de l'âme muette
Un mot seul pourrait suffire à présent
À freiner la frénésie des papillons
Pour l'ombre creusée en moi

Le vide ne regarde plus que toi
Ses yeux imperceptibles gagnent du terrain
Le voyageur en a emporté
Quelques fleurs inédites
Pages volantes des beaux jours
Pour ancrer son destin
Comme on dit Adieu
À ce qui a longtemps permis de vivre

Vivre et se blottir au creux des rêves tremblants
Vivre au vent du souffle qui guérit de la maturité
Tu fais mal comme un poids dans mes cheveux

Le chemin de la différence
Qui ne mène qu'ailleurs de nous-mêmes
Est un joli voile blanc et noir
Que la main a perdu
En s'embrassant la gorge hurlante

J'entends le cri des arbres
Qui ont dévoré les hommes
Le chemin où nous travaillons d'écume
A congédié le pas qui va au large
Tu me tiens la main pour toujours
Mais nous ne nous rencontrons
Que par hasard
Mon visage d'une infime ressemblance
Poursuit l'œil de la mort
J'entends le cri des arbres
Qui ont dévoré le ciel
Une pendule énorme a remplacé l'espace
Le temps remporte sa seule défaite

Parfois on erre étranger à la vie
Parfois on guette le hasard
Avec des sens aveuglés
Et l'on mord les lambeaux de voile
Qui s'échappent des oiseaux
Parfois on se souvient de la mort
Et l'on décrypte du doigt
Le long ruban de cris
Qui encerclent comme une ronde de peur
Le silence bat les cartes à la nuit
Les tables du secret s'agitent sur le chemin

Aime-moi les yeux fermés
La lumière apparente nous entraîne
Loin de l'autre
Éric je te vois mais toi
Toi tu ne peux me regarder en face
Un joli voile blanc et noir
A banalisé mon visage qui te ressemble
Il me faut la différence pour te sauver
Une fois pour toutes les autres
Où tu t'es sauvé

Je vole à tire-d'aile autour de toi
Au-dessus de la jolie marée noire de ton regard
Et je meurs à petit feu
Et tu me laisses mourir
Et tu ne vois pas
Tes yeux sont limpides mais le cœur n'y est pas
Où sommes-nous aujourd'hui ?
Il fait si ombre, si désespoir, si sans lendemain
J'écris n'importe quoi et cela fait une goutte de sang
Dans mes veines qui distillent un copieux mensonge
J'écris et je désespère
Le doigt posé sur l'ombre de ma main
Mon étrange main à sens unique
Aide-moi n'importe où n'importe comment
Aide-moi si peu si peu que j'en meurs
Aime-moi si avant que je disparaisse
Dans ma propre vie
Dans ma sale déraison
Dis-moi un mot que je comprenne que je sache

Puisque mes yeux sont venimeux et las
La nuit tombe partout
Comme dans un rêve inaccessible et dérisoire
Qui suis-je? Qui suis-je?
Qui es-tu pour que je me demande qui je suis
Moi qui ai toujours refusé de le savoir
Moi l'ombre de moi-même
Je suis l'oiseau fou qui a cogné à la vitre
Ou peut-être un peu moins
J'ai mal déraisonnablement désespérément
Et mes membres m'abandonnent sous ce poids
Qui jaillit de ton ignoble innocence
De ma détestable sagesse pour souffre-douleur
Je voudrais pour cette heure
Ne plus être même cette interrogation de moi-même
Je voudrais être ce jouet dans ta main
Que tu fais tourner et qui te ressemble
J'aimerais que la paix s'apaise
Pour lui écorcher son petit visage inédit
Aujourd'hui plus qu'hier
J'ai les doigts en sang
Et j'irais jusqu'au bout de ce quai de gare
Où je m'attends
Moi vulgaire passante de ta vie
À l'éventail défleuri par les temps
Par les temps à tout rompre
Je hais à l'infini mon ventre vide de toi
Je hais l'amour que nous ne faisons pas
Parfois

Je hais tout ce qui te ressemble mais n'est pas toi
Je hais ta vie sans moi à contre moi
Retrouve-moi avant que je me trouve moi-même
Il vaut mieux que ce soit toi
Toi seul ne pourras comprendre
Car tu ne renonces jamais vraiment
Je sais une ombre cette ombre d'oiseau vide
Que la marée noire distille au supplice
Merci pour ma petite cage dorée
Il restera cela de moi cet enfermement
Tous ces mots fermés
Fleurs noires astres de poussière
Que ma force revienne ou disparaisse complètement
Que mon amour pour toi ce manque intarissable
Se pardonne l'amour que l'on fait
Je suis plus bas que terre
Et je désespère mes ailes sont épaissies de silence
Le mot de la fin
Noir
Noir
Ce livre noir

Le 28 mai 1989

L'amour
Dis-moi rien
Chute cascade des ventres léchés
D'une fontaine vive des jardins
À feu et à sang
Meurtrière indolence des sens verts
Les cheveux embrassés
En mèches brûlantes qui grisent
Révolte des fleurs pleines
Le tissu des doigts évadés rejoint le désir
Ce voile prisonnier des paupières closes
Les chaînes tombent tout autour du corps
Comme un bouquet d'intentions

L'amour
Passant entre toi et moi
Course essoufflée vers un point de rencontre
Dis-moi rien
Le plafond requiert les mains douces

La danse du ventre enlacé
Une femme amoureuse ressemble
À une orchidée écarlate
À la mémoire de la chair
Rendue permanente
Je t'emporte le visage de tes yeux
Vers les étoiles décharnées
Des nuits artificielles
Tu as peur de tomber
Comme une pierre creuse et vaine
Comme le grelot diamant du cou
Sur le chemin éperdu des faux oiseaux

Les bras dansent et déchirent
Le long des formes qu'ils se donnent
Ce sont des cygnes animaux précieux
Des lacs glissants et volatils
Les veines lie de vin soûlent la peau
De l'eau folle où l'on se perpétue

L'amour collage de regards désaxés
Pour l'ombre d'un arbre écartelé
D'où tombe le soir fruit défendu
Dis-moi rien

L'amour
Chute des corps aimants
Illusion des lèvres douloureuses
L'amour

Ce mot de tous les mots
L'amour n'appartient qu'à chacun
Ce jeu que l'on épelle à mi-voix
Ce jeu d'enfants éperdus
Miroir des jours soulevés par la vague
Le pli des courbes froissées
Des baisers mordus par eux-mêmes
L'amour sans commencement ni fin

Mort lente et enivrante
Dis-moi rien
Bouche ingénue
Cristallisée

Le 29 mai 1989

Question :

Me suis-je déjà éprise de la folie ?
Ce jardin des fous aux ombres blanches
Où les pieds nus foulent la glace
Quel regard ? Quelle fenêtre cloisonnée ?
Les fleurs dessinées par les petits enfants
La solitude ajoute au front
Une froideur troublante
La folie est tellement ressemblante
À ces marches lentes des survivants
L'oubli sculpte ses traces brouillées
Dans la chair meurtrie
Le sable pique les yeux évadés
Mais la mer n'a noyé que l'identité
C'est le parc ratissé et entretenu
Par des jardiniers raisonnables
Quel regard crevé ? quelle promesse ?

Question :
La pression des doigts irréprochables
Est-elle cette enveloppe vide ?
Réponse :
La folie a-t-elle ses propres oiseaux
Ses oiseaux du ciel ? sa montre horloge ?
Réponse :
Le rêve est-il une camisole de force ?
L'aube est-elle le venin du jour ?
Les fleurs rôdent-elles sans permission ?
Réponse, réponse :
Où est donc passée la question ?
Où est passé le jardin si blanc si passif
Où sont les enfants sans mains
Sans jeux sans histoires ?
La vie sans autorisation
Remue les portes d'enclume

La folie belle est dormante
Ce sourire sans visage
Dont la peur fermente dans les arbres nus

Le 29 mai 1989

Une vie d'or

Congédie le soleil de tes mains cannibales
Mon ombre ma pièce d'or ma chance
Répudie le mouvant de lumière
Serpent de mon âme animale
Avant que le jour ne demeure ton silence

Tu marches comme une roue
Mon ombre ma pièce d'or ma chance
Toi l'alchimie satirique de mes yeux
Et les rochers de ta raison sont sables mouvants
La nuit est ton oreille constellée
Le son de ta bouche cristal

Traite méchamment le soleil vipère aride
Mécontente-toi de son désert nuageux
Car tes châteaux en Espagne
Respirent d'obscurité et de rayons morts
Ses jardins sont ratissés au couteau

Le noir te sied à merveille
Toi la toile de mes songes veuves noires

Creuse la pierre du soleil barbare
Mon ombre ma pièce d'or ma chance
Joue avec son petit cirque jaune
Comme l'enfant que tu fus jadis
À une pétillante année lumière
De tes jeux d'aujourd'hui
Plus imposants que la logique

Congédie les yeux brillants de l'enfance
Il t'en restera toujours les mains
Batifolant dans l'eau trouble
Du temps trompé entretué
Toi qui sais d'où je viens
Mon ombre orchidée farouche et lente
Comme un jour sans vin
À déchirer la raison douloureuse
De ses petites dents minutées

Le 2 juin 1989

Deauville

Une nuit vacillante et blême
Ce sont nos regards perdus dans le lointain
Qui nous amènent simplement par la main
Filtrer la pesanteur d'un nouveau jour
Le long courbaturé de ces rues qui vont sur le fil tranchant
Des pieds en sang
Je reviendrai sans le doute qui pèse
Observer comme on crie ce large rayon de place
Le sable montant dans tes pupilles défaites
Je reviendrai à toi au corps sensible et débridé
À toi la gorge ouverte ailleurs
À d'autres murmures de réconfort
À toi le balcon de mes yeux pour la chute de ces gens
De ce peuple en marche et de passage
Qui a perdu la facilité sans parole
Je reviendrai si la nuit se promène sans destination
Comme une prostituée en laisse à un réverbère
Je ne sais pas qui bénira mon corps
Pour ces mots cachés qui riment avec Adieu

Tu es jusqu'à la mort qui me suit
Celui aux mains disjointes et effrayantes
Tu respires dans mon ventre
Toi mon unique ressemblance des gestes oubliés
Je reviendrai pour cette absence de toi
Peut-être m'oublieras-tu t'aimer
Comme si demain cette horloge pour revenants
Avait cessé de fonctionner une fois de trop
Pour laisser le large abîmer les étreintes
Aux écueils de l'eau amoureuse qui ruine les audaces
Une nuit sirène et morte saison
Ma tache de naissance mon reste d'illusion
Tu viens mon amour si tu savais
Jusqu'où l'on peut traîner les étoiles
Dans cette boue légère d'appartenir
Nous sommes pendus à une nuit perpétuelle
Et le nœud de la corde est tissé de nos mains
Pour l'ombre de cette chance
Qu'il y a dans les jeux des anciens enfants
Pour la traînée de poudre de nos rêves minutés
De nos ardeurs défigurées en vain
Qui font semblant de croire à l'innocence
Je t'attendrai ailleurs pendant la vie
Et je te surprendrai dans les oiseaux que tu as volés
Jadis il y a 100 ans au temps des animaux apprivoisés
Nous voici mon amour renseignés sur l'obscurité
Cette vengeance aveugle des plus lourdes tombes
Tu es l'asile blanc aux mains nues
Où ma vie se devine dans les troubles du vide

Tu es sans le savoir mon sursis d'évasion
Nos mouvements pour les fous
Porteront atteinte à la nudité désespérante
Des ombres dispersées
Viens toi sans partage
Cette nuit pour toujours nous appartient
Nous anges ou démons sans permission
Qui nous volons à chacun l'amour
Où avons-nous appris à ne pas vivre tout à fait ?

Le 25 juillet 1989

L'Attente de plus beaux rêves à repasser au fer rouge comme de jolis mouchoirs, si tant est qu'un mouchoir ressemble aux gestes d'amour...

L'Attente de cette lumière qui creuse les ardeurs des cyprès quand ton regard est tombé, comme un monocle du ciel voyeur...

Je fais ton portrait aux ciseaux des pensées les plus douces, en saluant du doigt le carnage guérissable des faiblesses concaves...

Je fais ton amour au couteau...
Ta minute d'égarement s'enlace en moi, unique plante grimpante pour la sève bleue de la mort, eau de bouche...

L'Attente de vivre mesure étoilée, semblable à une épingle à chapeau sur le front d'une statue de jardin clos...

Je te poursuis comme une rumeur qui attache la pluie sous les nuages...

Souviens-toi c'est là que nous mourrons vraiment...

L'Attente d'une plus pure folie, à lisser avec des doigts d'argile. Les cheveux longs et mousseux de la femme en sommeil...

Un pendu d'eau douce porte une horloge en pendentif. Le bijou du temps tactile a glissé au pied du lit...

L'Attente de plus beaux départs.

Le 29 août 1989

Un vent sur une moisson de la terre
Ailleurs bien loin
Là où s'accomplit le miracle
L'audace m'étreint le corps
Comme une ceinture de perles basses
Et je m'endors dans l'or des blés
D'un bonheur incompris
Mes forêts de bohème Mes champs après la pluie
Réveillent dans mes mains aux gants bleus
La douceur d'une mère au ventre étoilé
L'innocence d'un avant-goût furtif de la nuit
Dans un jardin plus mouvant que l'onde
Aux sourires de lierre À la voix de sang
Je cours après ma propre fuite
Comme un chien enragé
Qui clignote des yeux ces phares ébauchés
Au-dessus d'un océan fictif pour les pauvres
Un vent pour moi seule maintenant
Résonne d'une voix pouvant retenir un rêve

Par le pli d'un drap d'une paupière de sommeil
La terre m'apparaît
Et c'est moi seule qui ne ressemble pas
À l'harmonie tant attendue
Les échos profonds de songes ont flétri
Jusqu'au goût amer que j'avais
De la brûlure volontaire
Je me promène sans cesse dans le miroir épais
Qu'un mot suffit à traverser
Et mes paroles tombent de leur arbre distrait
Comme des gouttes d'acide
Couleur d'usure de temps et de rouille
Le portail grinçant fait le tour de mon jardin
Et le dérobe à mes doigts
Meurtris par le manque d'appartenance

Je pense souvent à tes yeux qui se ferment
À ces pierres sublimes de ton front
Qui creusent inlassablement mes gestes
Je pense à ces mots que l'on ne peut dire
Qu'en aimant
Au vent de la terre qui les emporte
Comme des grains de poussière
Poursuivant les yeux jusqu'à leur scintillement
Je pense aux ombres fluettes des blés
Grands semblables à la lumière sur un fil
Je pense aux mille et un visages
De l'ombre des arbres noirs

Mémoire liseré bleu de rideaux
À toutes les fenêtres de jour vif
À toutes les fenêtres où les enfants se penchent
Pour guetter la vie étourdie

Et son ascension dans le vide répété
Mémoire puisqu'il faut un jour
Cesser d'ouvrir grands les yeux
Sur notre attente fautive de reconnaissance
Mémoire collier de bois odorant
Pour se souvenir d'avoir docilement vécu
Pour mourir par hasard
Des fruits passés de l'enfance éternelle
Qui répétait dans ses jeux
Que la terre va au paradis
Mémoire te ressemble aux yeux perdus d'avance

Le 6 septembre 1989

Tu fais mal tu cognes tu bats
Comme une morsure d'étoile
Qui divague lentement dans mon ventre
L'étoile l'unique la seule que tu ne reconnais pas
J'ai des yeux plus lâches que les mains qui torturent
Plus longs encore que les mots que l'on supplie
En vain tout bas
Tu fais mal par hasard
Le lien qui nous tient dans son bouquet tendre
Le hasard nous soumet dans l'ombre
Le ruban bleu infini et durable
Remue nos mains qui s'écarquillent à la longue
Vois-tu ma tête sur l'oreiller des conspirations ?
Qui glisse amèrement
Des portes condamnées en illusions
Tu bats le cœur sorti de sa poitrine
Et le sang qui rougit des raisons futiles
Funestes appâts pour la vie sans douleur

Le cercle du ventre ressemble
À un cerceau des enfants des rues
Aux terribles manières :
Casser du verre en rêvant
Perdre éperdument à des jeux insensés
Pleurnicher dans les draps du vent
Qu'importe le mystère ?
Marcher dans la boue et la poussière
Créer par intervalle de faux sous-entendus
Et partir sans doute sans jamais être revenu
Sans jamais se retrouver objet perdu

Le 15 février 1990

La Vie

Une grande partie de cache-cache
Tout le monde compte en même temps
Chacun derrière son arbre

Les yeux pour rien pour le silence
Mais où est donc l'attente
Évidemment il y a ceux qui vont se cacher et que l'on ne
  retrouve jamais
Entrez entrez c'est la chasse à l'homme
Le jeu du bal des voleurs
Le temps a revêtu son habit de prophète
Rouge à glands dorés comme un rideau de théâtre
Je t'aime un peu crient les insensés
Avec les lèvres qui remuent doucement
L'humanité entière chronomètre l'impatience
Je tuerai qui arrêtera de compter
Hurle un fou à la conscience tranquille
Tout le monde ment sur la beauté de son arbre
Car dans le jeu les yeux sont toujours fermés

Elle m'a mordu elle m'a mordu
Qui ça ?
Je ne sais je n'ai jamais su
La vie rage éphémère

Un ange me regarde enfin après si longtemps
À collaborer sagement à ce jeu stupide
Personne n'a le droit de se regarder en principe
Ces mots étaient difficiles comme adieu
Dans comme des pierres dont on fait les tombes
Moi aussi je t'aime

Un jour tu as arrêté de compter et tu étais beau
Et j'ai serré tes doigts dans le vide
Il y avait ton visage comme un écho dans ma tête
Treize ans déjà que ton corps a quitté mon corps
Nous sommes seuls chacun l'un dans l'autre
Un jour je me suis mise à compter
Pour faire semblant pas davantage
Mais ils se sont aperçus que je récitais à l'envers
Tu as ri moi aussi

Dis-moi une chose qui te ressemble
Je ne sais pas je n'ai jamais su
Écrire des mots pareils à toi
Si peut-être
Deux Seulement :
La Vie
Et j'ai beau essayer

J'ai beau me traîner dans
Ces mots-là
Je ne les comprends pas

La vie, laver, lavoir, lavabo, lavande, lave, lavette, lavis, lave-glace, etc…

Vie, vin, vis, vil

Les grandes retrouvailles

Le sang n'est jamais que l'ombre passagère d'une main
D'une main assez grande assez large par rapport au ciel
Pour renseigner la douleur et son nœud inextricable
Une femme qui passe ou qui s'en va dans la rue
Pense parfois à l'amour à ses yeux rouges apeurés par la faim
Elle se soumet à la brûlure des temps qui sont perdus
Des temps qui sont moisis allumés à des cierges
Dans la moiteur douce des églises
Elle se souvient et une mort lente et sûre
Fait miroiter dans ses paupières les audaces d'une autre femme
On est jamais semblable à soi confronté à la mémoire
Faisceau d'intransigeance dans la clarté anormale
Que deviendra notre morsure à nous deux ?
Que deviendront nos petites dents de lait ?
La femme est un peu pathétique quand elle rit
Parce que son visage entier prend et déchire l'image
C'est dur de baisser les yeux à chaque carrefour
De la vie toute crue toute sanguinolente
On songe aux grands couteaux pour couper dans le gras

Dans la chair ondulée d'un souvenir
La femme va fermer les yeux pour marcher au hasard
Elle sent ses tempes battre son corps se mouvoir
Et à ce moment-là elle reconnaît en elle
La marche langoureuse de l'inconnue fébrile
Qui croise son regard le matin dans la glace
Les jours de tempête quand le vent pousse les images cachées
Que deviendront les mains dans le silence d'apparition ?
Le sang auréole les lueurs changeantes
Des mots impossibles évanouis dans la fermeture du front
La femme achève sa beauté à la lame
Elle pense qu'elle aimera toujours
Le vol inconscient de ses mains vers le désir les draps d'amour
Froissés comme des pages entières qui sonnent faux
Elle pense qu'elle se donnera toujours
Et qu'ils ne verront pas la petite agonie dans ses yeux
Cette douceur âpre des histoires que l'on connaît déjà
La femme a des pas sonores différents dans chaque esprit
Elle retentit longtemps on dirait qu'elle passe on dirait qu'elle
    fuit
Hors d'elle hors de l'illusion grandissante
Comme sa gorge est remplie de cris à faire mal !
Il faut contraindre son sang à battre
Que deviendront nos mélanges le tissu inédit de nos veines
    bleues ?
Que deviendra l'insolence ? le frémissement au bout des
    doigts ?
La femme ferme son visage dans les mains inconnues
Merci dira-t-elle peut-être c'est si bon de mentir

Mais en elle-même elle criera cette vérité de l'amour
Le tableau noir effacé de l'existence qui finit toujours
Par recommencer
Par inonder les reproches de grandes retrouvailles
De grands serrements de bouches de grands baisers de main
L'oubli montre sa face crémeuse qu'il faut faire lever
Comme une bonne pâte
Les murs prennent une drôle de saveur d'enfermement
Sans doute l'humidité du corps de la femme qui ruisselle
Une heure d'amour sonne toujours si grave
Dans le noir la femme sourit et allume une fumée entre ses
    lèvres
Le corps qui l'accompagne des nuits à double tour
Vient de disparaître au coin de la rue
Aujourd'hui sans doute
Le jour est tombé plus facilement que d'habitude
La nuit a un habit de lumière pour le corps de la femme

Le 27 février 1990

Longue est la nuit qui s'affole dans les rues
Mendiant égarement des yeux en retard
J'aimerais que sans un mot tu m'aies crue
Que sans attendre tu dérobes mes courbes dans le noir
Un peu comme on dessine les gestes d'amertume
Les contours de la femme qui déjà s'enlisent dans la brume
Longue est cette attente des murs qui chavirent
Même si les mouvements resserrent leurs dérives
Autour de ton dos et de son sillon ondulé
Tu montes à moi je vois ta démarche calculée
Et les paroles que tu dis tombent pêle-mêle
Autour du corps que tu me prêtes pour la nuit
Longue est l'impatience sans raccourcis
Je t'en prie ferme les yeux au front rebelle
Laisse-moi éprouver le silence indécent
L'impudence ressemble à des mots caressants
Ceux-là mêmes qu'il faudrait inventer
Et graver dans les mains des passants
Tenez Monsieur laissez-moi vous montrer

Le mot qui a pris forme entre mes reins
Et qui a enlacé dans un souffle mes rêves déteints
J'aimerais que sans un mot tu m'aies crue
Longue est la nuit qui appelle les doigts nus
À renouveler sans trêve le palimpseste de la peau
Tu es cousu dans l'écriture des paupières
Lassées fermées brodées
Dans les images cadencées des prières
Laisse-moi prier pour l'amour de toi
Une seconde qui te ressemble
Comme un désir perdu
Longue est la nuit pendue
À la corde de nos cous

Le 28 février 1990

Aimer pour disparaître
Pour se plaquer ventre à terre
Sur les chemins trop dangereux
Qui mènent un jour au non-lieu
J'ai parcouru ta bouche
De tous les non-dits de mon âme
Aimer pour faire semblant de ne pas dire
De ne pas crier en alternance
Pour supplier de ne plus rêver tout haut
Ils n'entendront pas le mal de blêmir
La peine du corps en permanence
Aimer les mains qui ont parcouru la peau de nuit
Les doigts du repos éternel
Un homme est assis à côté de toi
Et tu t'étonnes de le regarder toujours
Comme si c'était la première fois
Et puis viennent les jours du calendrier
Les heures des montres
Viennent les regards en avance sur les minutes

Sur les souvenirs que l'on pratique
La gueule ouverte pour emporter le vent
Aimer pour revenir
On avait perdu son chemin
Et le grand trousseau de clés que l'on tient
Ne nous sert plus à rien
On a oublié les portes
Les chambres bouleversantes de cette odeur d'amour
On a oublié qu'il était impossible
De se laisser derrière soi
Prisonnier perpétuel des lits froissés
Mouvant dans l'ombre les yeux clos
Aimer la gravité des gestes que l'on ne refait pas
Des sourires rancuniers qui mordent les oreilles du vide

Le 3 mars 1990

À Alvaro

Souvent la nuit je viens te regarder dormir
De cette mort lasse qui frôle le bout des doigts
De cette petite mort qui peut toujours venir
Elle ne te touche qu'à contre moi
Et je m'approche de ton corps mille fois interdit
Je longe ta peau aigre douce le miroir brisé de mes mains
Te voilà évanoui dans des rêves grands comme des ballons
    d'enfant
Et je pense à tous ces mots incrustés sur ton front
Qui lentement divaguent dans la danse d'une femme
Et dans la vague étreinte de son ventre
Le sommeil s'enroule autour de toi statue vertigineuse
Il ressemble à cette femme amoureuse
Tu macères dans ta bouche mon deuil sans concessions
Ma pénurie d'audace l'ombre lourde du passé
Et je ne sais jusqu'où va l'amour
Après le silence
Aimer comme on a peur comme on a froid
Pour rivaliser chaque jour de sa vie avec la perte

Mes mains se souviennent des gestes que tu fais
Des cachettes dans ton cou pour fermer mes yeux
Il y a ces mots que nous faisons sans oser les dire
Et ces images que je bois dans ta bouche
Comme après la pudeur appauvrie
Délaissée à terre comme une robe défaite
Cette robe qui prend toujours ta forme froissée de l'abandon

Je pense à tous les passants de ta vie
Aux heures creuses de ta conscience
Qui étranglent un peu ma visibilité
Je descends le long de ton corps à découvert
À chaque marche de l'impossible aveu
Tu me chuchotes ton souffle éventé
Des murmures de respiration
Et c'est un peu comme si je t'entendais disparaître
J'ai fermé les portes sur toi sur nous
Pour que mes bras te suffisent au cercle de ton cou
Souvent par hasard je viens dévorer ton sommeil
Et les ongles rougissent de désir s'enfoncent dans ton dos
Comme les lignes de vie qui défraient la chronique
La nuit je viens dérober ton lit
Et je m'invente un corps contre le tien
Pour enfermer ton sommeil en moi
J'aime oser de toi mon amour

Souvent la nuit je te regarde dormir
De cette mort lasse qui frôle le bout des doigts
Et je m'accroupis devant ton corps

Mille fois interdit
Évanoui dans les rêves de quelqu'un d'autre
Tu souris en dormant ange à pure perte
Et je pense à ces morts incrustés sur ton front
Qui lentement divaguent dans la danse d'une femme
Que tu aurais aimée pour rivaliser avec la perte
Tu macères dans ta bouche mon deuil illettré
Ma pénurie d'audace l'ombre lourde du passé
Et je ne sais jusqu'où va l'amour
Après le silence
Mes mains se souviennent des gestes que tu fais
Des cachettes dans ton cou pour fermer mes yeux
Il y a ces mots que l'on fait sans les dire
Et ces paroles que je bois dans ta bouche
Comme après la pudeur appauvrie
Je pense à tous les passants de ta vie
Aux heures creuses de ta conscience
Qui étranglent un peu ma visibilité
Je descends ton corps à découvert
À chaque marche de l'impossible aveu
Tu me chuchotes ton souffle éventé
Des murmures de respiration
Et c'est comme si je t'entendais disparaître
J'ai fermé les portes de la nuit
Sur toi sur nous
Les fenêtres absorbent l'impatience d'un regard
Souvent je vais dévorer ton sommeil
Et les ongles du désir s'enfoncent sur ton dos
Comme des lignes de vie

Qui défraient la chronique
J'avoue j'en ai bavé pour vous mon amour
J'avoue tu en as bavé pour moi mon amour
Viens si tu l'oses oses oses

L'adieu perdu

À Éric

Ne touchez pas à ma petite bête épaisse
Ma douleur
Ne touchez pas aux plus beaux yeux du monde
Que j'ai fermés longtemps pour ne plus les voir
À toi goutte de sang qui manque un jour
Dans le corps infirme et langoureux de la vie
À toi tout ce qui ressemble à l'innocence
Ces mots à déplier au vent comme un mouchoir de larmes
    sèches
Ne touchez plus à mon enfant perdu
Il est quelque part implorant le silence
Si seulement ta mort ne m'était qu'une seconde
À toi ces cris que je ne peux pas pleurer vraiment
À toi qui jouais jadis avec mes doigts
Comme avec des bonbons tendres de l'enfance à genoux
Ne secouez plus mon arbre de ses mains pour monter au ciel
La nuit il y vient des oiseaux inconnus
Qui portent dans leurs ailes des bruissements de la terre
Vous comprenez il y vient des oiseaux

Ne touchez pas à l'infini moins un que j'aime
À toi mon caillou ma pièce d'or de la fontaine
Ce qui brille dans le puits de boue
À toi ma blessure enivrée ma lune à boire
Ne touchez plus à notre reflet pour les enfants heureux
Tu es la morsure au creux de ma main
Dormons

Le 30 mars 1990

POSTFACE

«*Alicia avait raison,*
l'Amour est plus fort que la mort»

Elle avait vingt ans, elle était belle, son regard bleu intense était lumineux, elle avait des cheveux et des jambes sublimes, une bouche en cœur aussi sensuelle que charmante ; je me souviens, enfants, nous les cousins, nous étions tous amoureux d'elle. «Alicia avait raison, l'Amour est plus fort que la mort.» Ce titre, ce sont les derniers mots de l'oraison prononcée par le Père Germain aux obsèques d'Alicia. Pas évident de faire une oraison funèbre pour une fille de vingt ans, devant ses parents et leur fils de dix-neuf ans qui reste le seul survivant d'une fratrie de trois. Mon cousin Ian qui a un cœur énorme et que j'aime. Devant tous les amis qui trois jours auparavant, la veille de Noël, ont été réveillés par la nouvelle de l'impensable, ces jeunes qui ne peuvent pas comprendre. Mais le moine bénédictin, le Père Germain, a cherché à comprendre qui était vraiment cette jeune femme, au-delà des apparences. Et donc, ma tante Silvita lui a confié les poèmes de sa fille. Et il les a lus. Et il a tout compris. L'amour d'Alicia, c'est un fil qu'elle a tissé de ses mots, qu'elle a soigneusement choisis, de ses images cinématographiques et surréalistes parfois qu'elle a ordonnées si particulièrement, de ses poèmes qui n'éludent rien, qui ont le courage de regarder la mort en face pour mieux chanter la vie et qui ne laissent rien au hasard. Alicia et moi n'avons jamais cru au hasard. Pour nous, tout est relié par un fil invisible. Je l'appelle le destin. Celui qu'on ne comprend pas toujours mais qu'on reconnaît comme une évidence. Et quel destin, celui d'Alicia et celui de ses poèmes ! Je les relis et comme chaque fois je suis saisi par la pure poésie de certains passages, l'immense précocité, la clairvoyance et la force qui s'en dégagent et la beauté de tant d'émotions. Et j'oublie qu'Alicia est morte. J'oublie le destin, son destin, et ne ressens plus que la vie. Avec ses filiations, ses émerveillements, ses couleurs, ses rages, ses deuils et ses luttes. Je ressens surtout l'amour. L'amour de la vie. L'amour pour la vie. Il y a tant d'amour dans les poèmes d'Alicia. « Mais de vous mon Dieu, je ne sais rien, si ce n'est les contours tranchants du doute, si ce n'est les éclaircissements de l'Amour, qui renouvellent chaque jour votre substance… » écrit-elle dans son credo que j'ai fait mien, que je porte sans cesse sur moi et en moi. Alicia a été, est tellement aimée parce qu'elle-même a aimé si fort. Et elle continue. Je sais qu'elle veille sur ceux qu'elle aime, comme la bonne étoile qui accompagne sa signature. Ce fil invisible n'a jamais été rompu. Et aujourd'hui, grâce à la publication de ses poèmes, ce fil, vous lecteur, vous pouvez en saisir un bout et ressentir cet amour pour la vie qu'Alicia portait en elle et qu'elle m'a transmis. C'est grâce à elle, grâce à la vie qu'elle a vécue, à l'amour qu'elle a donné et grâce aux poèmes qu'elle a écrits que j'ai mesuré que j'avais de la chance. La chance de vivre. Cette chance qui me donne la reconnaissance et la gratitude du passé, la confiance en l'avenir et surtout l'énergie et l'enthousiasme du présent.

Guillaume Gallienne

À PROPOS DE CE RECUEIL

Pour ce choix de poèmes, la chronologie s'est très vite imposée, tant Alicia avait tout préparé : *Premières Dominantes* puis *Les Nocturnes* et enfin *Le Livre noir*. Les dates étaient inscrites, il suffisait de les suivre. Seuls ses derniers poèmes, pas vraiment épars puisqu'elle les avait également rassemblés et reliés, n'avaient pas de titre.

J'ai extrait *L'Infini moins un* du poème daté du 30 mars 1990, dédié à Éric, poème qu'elle avait pris soin de conserver aussi dans son agenda, et finalement intitulé « L'adieu perdu », notant à la main en dessous : « que j'ai très longtemps laissé mûrir comme un fruit sec ». Cet infini moins un était déjà présent en amont : *Mais une page doit s'écrire / Comme si elle était la mille et unième / D'une longue série de tentatives / La mille et unième après mille autres / Avant l'infini moins un.*

C'est pourquoi j'ai choisi de le mettre en lumière, à l'image des fulgurances qui traversent ses poèmes : *Ne touchez pas à l'infini moins un que j'aime.*

J'avais imaginé un choix plus restreint, mais plus j'avançais dans ma lecture, plus je croisais des vers stupéfiants qui ne pouvaient être qu'accueillis dans cette *Autre moitié du songe*. J'ai exclu en revanche ses tout premiers poèmes d'adolescence, dont l'originalité était moindre, si ce n'était la brièveté de cette strophe incendiaire : *Un silence / à qui j'ai tout remis, / m'envahit, / palpite en moi, / s'allume et me brûle.*

S.N.

REMERCIEMENTS

Je tiens à remercier Éléonore de Rochechouart, l'amie de tous les partages épistolaires et littéraires d'Alicia, qui m'a prêté main-forte dans la préparation de ce livre.

Merci aussi à Franck Fertille et André Velter qui sont à l'origine de ce projet, à Antoine Gallimard qui l'a accueilli, et à Gabrielle Lécrivain qui l'a mené à bien.

Merci aux ayants droit de Ludovic Janvier, Jean Genet, Álvaro Mutis et Jean Tardieu que j'ai eu plaisir à citer en préface.

Et pour tant de confiance constamment accordée, merci à Guillaume Gallienne, Silvita Gallienne, Ian Gallienne, Xavier Giannoli, Mathilde Favier, Alvaro Canovas, Francine et Antoine de Castellane, Sandrine de Montmort, Gilles Dufour, Barbara d'Orléans, Marie-France et Pierre Villain, Véronique Savary, Kilian Hennessy, Sophie Troyan et Cordelia de Castellane.

L'AUTRE MOITIÉ DU SONGE M'APPARTIENT

LES DOMINANTES

LES NOCTURNES

LE LIVRE NOIR
d'avril à septembre 1988

LE LIVRE NOIR
de septembre 1988 à février 1989

L'INFINI MOINS UN

Composition : Ütibi
Achevé d'imprimer
par CPI Firmin-Didot
à Mesnil-sur-l'Estrée, en décembre 2019
Dépôt légal : décembre 2019
Numéro d'imprimeur : 156038

ISBN : 978-2-07-285928-1/Imprimé en France

356490